Guides Delta :

Afghanistan
de E. Darmon

Birmanie
de G. Le Ramier

Brésil
de D. Camus et C. Manoncourt

Chine
de D. Crisà, R. Giudicelli
et M. Holzman

Cuba
de E. Bailby

Egypte
de M.-F. Duval, E. Husson
et A. Gasse

Grèce
de F. Huart

Guatemala/Belize
de E. Lagoute et M. Miquel

Haïti/Saint-Domingue
de J.-P. Bruneau et R. Cornevin

Hong-Kong/Macao
de C. Ohl

Inde
de P. C. Deyden et Y. Beigbeder

Inde du Nord
de Y. Beigbeder

Inde du Sud
de D. Sandman

Indonésie
Ouvrage collectif

Italie
de R. Paganel

Japon
de H. Cornevin

Kenya
de J. Rigel

Ladakh
de G. Doux-Lacombe

Mexique
de J. Briffard

Népal
de R. Rieffel

New York/New York
de C. Texier

Niger
de R. Noblet

Pérou/Bolivie
de P. de Zutter

Philippines
de M. Loriot et R. Paganel

Sri Lanka/Maldives
de I. Trey et Y. Piel

USA Côte-Ouest
de W. McKenzie

A paraître :

**Algérie, Louisiane/Floride,
Thaïlande**

Hors collection :

Bali, la ronde des sages
de M.-T. Berthier et J.-T. Sweeney

Guides Delta

Parmi les titres des Guides Delta, disponibles et à paraître, certains ont déjà connu une ou plusieurs rééditions. C'est en effet une des caractéristiques de ces ouvrages que d'être régulièrement mis à jour. Nos auteurs sont des gens de terrain et leurs séjours fréquents leur permettent de coller à la réalité des pays qu'ils décrivent, pour la plus grande satisfaction des voyageurs.

Chaque guide contient une introduction générale à l'histoire, la géographie, la culture et l'art du pays concerné. Sont ensuite étudiées une à une les grandes régions que le voyageur est amené à traverser.

Ces guides contiennent une cartographie toujours originale et parfois unique. Ils renferment quantité de renseignements pratiques sur les formalités, les moyens de transport, les hôtels, les dates des fêtes, etc. Leur conception n'est pas académique et ils ne prétendent pas à l'exhaustivité. C'est pourquoi ils se soumettent volontiers à la critique des lecteurs.

Introduction à la réalité quotidienne d'un pays et guide pratique du voyageur, ils constituent un outil indispensable à la découverte.

CUBA

Sur la mer des Antilles
Qu'on appelle aussi Caraïbes,
Battue par des vagues farouches
Et ciselée de molle écume,
Sous le soleil qui la repousse,
Chantant, des larmes plein les yeux,
Cuba navigue sur sa carte
Comme un long crocodile vert,
Avec des yeux d'eau et de pierre.

Nicolas Guillén

CUBA

Edouard Bailby

Préface de Alejo Carpentier

Document de couverture : Thomas Guttierez Alea
Photo de couverture : Baldomeiro Pestana
Photos : Luc Chessex et Mayito
Cartes : Jean Péan de Ponfilly

2e édition revue et corrigée

Collection des Guides Delta
FLAMMARION

Du même auteur

Brésil, pays clef du Tiers-Monde ; Calmann-Lévy, Paris 1964.
L'Espagne vers la démocratie ; Gallimard, Paris 1976.
Les clefs de la Colombie, Bréa, Paris 1981.

© Les Éditions Arthaud, Paris, 1982. Tous droits réservés.
ISBN : 2-7003-0399-7. Imprimé en France.

Avant-Propos

Sans communications maritimes avec l'extérieur, reliée à une seule capitale latino-américaine (Mexico) et à trois capitales européennes (Madrid, Prague et Moscou), Cuba resta, pendant plus de quinze ans, à l'écart des grands courants touristiques. Puis, dans les années 70, le blocus imposé par les Etats-Unis commença à donner des signes de faiblesse : le Chili, le Pérou et, enfin, les Etats nouvellement indépendants des Caraïbes nouèrent des relations diplomatiques avec le gouvernement révolutionnaire de la Havane.

Dès lors, Cuba est progressivement sortie de son isolement. Grâce à l'ouverture de nouvelles lignes aériennes dont la dernière en date (1982) est celle d'une ligne de charters directs entre Paris et La Havane, pour la première fois depuis 1959, les échanges avec le monde occidental se sont faits de plus en plus nombreux. Déjà, plus de 130 000 voyageurs étrangers visitent chaque année la perle des Caraïbes.

C'est pour eux que ce guide a été écrit. Sans être exhaustif, il entend combler une lacune importante dans la mesure où, Cuba faisant l'apprentissage du tourisme, les informations d'ordre pratique sont difficilement accessibles. Les rassembler en un volume, illustré de cartes et de plans, n'a pas été une tâche aisée.

Pour la commodité du lecteur, chacune des quatorze provinces cubaines a été traitée dans un chapitre séparé. Ceux-ci sont d'une importance inégale soit que certaines régions ne présentent aucun attrait particulier soit que les réalités économiques ou historiques méritent de s'y attarder. C'est ainsi que le tabac figure dans le chapitre consacré à la province de Pinar del Rio, principale région productrice du pays, alors que le sucre a été traité dans la province d'Holguin et l'élevage dans celle de Camagüey. L'auteur a délibérément fait ces choix pour rendre le livre à la fois attrayant et instructif.

Cuba n'est pas seulement le pays des palmiers que décrivait Christophe Colomb. C'est autre chose.

E.B.
Mai 1982

Préface

Comme les Antilles, en général, bénéficient d'un même climat et possèdent une faune et une flore assez semblables, on est trop enclin à croire que « toutes les Antilles se ressemblent », et que « quiconque en a visité une, les connaît toutes »... Or, rien n'est plus faux.

Au long de l'immense archipel, délimité au Nord par les Bahamas et les Bermudes — dont Shakespeare a parlé dans « La Tempête » — et qui se termine, géographiquement parlant, à l'île de la Trinidad, où, face à l'estuaire de l'Orénoque, Christophe Colomb considéra qu'il ne pouvait pousser plus au Sud ses aventureuses navigations, nous trouvons, certes, des terres qui, au premier abord, se ressemblent. Partout — ou presque — on trouve une végétation luxuriante, de très belles plages, parfois d'impressionnantes montagnes volcaniques, face aux splendeurs de la mer des Caraïbes, dont les bancs de corail, les méduses, les lumières toujours changeantes, ont été chantés, en de très beaux sonnets, par l'auteur des « Trophées », le poète José Maria de Hérédia qui, ne l'oublions pas, était né à Santiago de Cuba... Certes, les îles des Caraïbes ont un certain « air de famille ». Mais, pour peu que l'on y regarde de près... combien de différences entre les unes et les autres !... Colonisées, selon les cas, par des Français, des Anglais, des Hollandais et des Espagnols, elles se présentent à nous sous des aspects fort divers, chacune ayant des coutumes, des traditions, des musiques et des danses, toutes particulières. Quant aux souvenirs historiques, vous y trouverez souvent la trace de celle qui devint l'Impératrice Joséphine ; à la Marie-Galante, l'ombre de Madame de Maintenon ; plus loin, l'image bien vivante de Pauline Bonaparte — sans parler des grands navigateurs, des grands corsaires et flibustiers, des illustres voyageurs, tels le Père Labat, toujours présents là-bas par leurs livres ou par le souvenir de leurs exploits.

L'île de Cuba est, par son étendue, la plus importante des Antilles. Pendant des siècles, elle fut surnommée « La Perle des Antilles », mais aussi « Le parvis du Nouveau Monde », en raison de sa situation géographique à l'entrée du Golfe du Mexique... Il n'est pas de mon ressort de signaler la beauté de ses paysages, la variété d'une nature qui se montre sous des aspects très différents, selon que le voyageur se déplace vers les provinces les plus occidentales ou les plus orientales du pays — car de ceci il sera question dans les pages de ce livre —. Mais nous devons signaler néanmoins que Cuba, qui fut une des plus riches colonies de l'Espagne, conserve, pour cela même, les plus beaux vestiges d'architecture des XVIe, XVIIe et XVIIIe siècles, que nous puissions admirer en cette partie de l'Amérique latine. Tant à La Havane, qu'à Santiago, ou à Sancti-Spiritus, ou dans la ravissante petite cité de Trinidad, on plonge dans un passé fastueux, représenté par des vieux palais, des résidences seigneuriales, des églises, des cathédrales, des ouvrages de fortification — dont certains sont dus au génie des célèbres Antonelli, ingénieurs militaires choisis par Philippe II pour assurer, au moyen de forteresses, la défense de ses colonies d'outre-mer.

Puisse ce guide donner au public français un avant-goût de ce monde des Antilles, d'où il pourra rapporter des images inoubliables, et dont la « Perle » fut, selon l'avis des vieux chroniqueurs espagnols de la Conquête, la très grande, très diverse, et très belle île de Cuba.

ALEJO CARPENTIER
Mort à Paris en avril 1980,
Alejo Carpentier écrivit cette
préface pour la première édition
de *Cuba*.

Présentation

La géographie

La superficie

Tous les petits Cubains apprennent à l'école que leur pays a 111 111 km^2 : c'est un chiffre facile à retenir.

En fait, la superficie de l'île de Cuba proprement dite est de 110 922 km^2. Il faut y ajouter les 3 715 km^2 de ses centaines d'îles et d'îlots, les *cayos*, éparpillés dans la mer des Caraïbes. On les classe en quatre grands groupes : les *Canarreos,* les *Colorados,* les *Jardins du Roi* et les *Jardins de la Reine.* L'île des Pins (2 200 km^2) et l'île Romano (926 km^2) en sont les plus importantes. Au total, la superficie de l'archipel cubain est donc de 114 637 km^2, soit légèrement supérieure à celle de la République Démocratique Allemande.

Cuba est située à l'entrée du golfe du Mexique, d'où le nom de *clef du golfe* que lui donnèrent jadis les colonisateurs espagnols. Elle forme un demi-cercle dont la pointe orientale est à 77 km d'Haïti et la pointe occidentale à 210 km du Mexique. A 180 km au Nord, ce sont les Etats-Unis ; à 140 km au Sud, la Jamaïque. Par temps clair, les Cubains peuvent apercevoir, des montagnes qui entourent la ville de Santiago, les côtes haïtiennes et jamaïquaines.

A 50 km^2 près, la mer des Caraïbes a la même superficie que la Méditerranée dont l'île principale, la Sicile, n'est que de 25 708 km^2. C'est dire l'importance de Cuba. Située au carrefour des trois Amériques, elle forme une barrière naturelle entre l'univers anglo-saxon et l'univers latin.

On compare souvent Cuba à un crocodile. De la Punta de Quemado, à l'Ouest, au Cabo San Antonio, à l'Est, la distance est de 1 250 km. Mais la largeur maximum de l'île est de 191 km à peine dans la province de Camagüey. La partie la moins large, entre Ensenada del Rio et Ensenada de Majana, a 31 km. Grâce à cette forme allongée et étroite, Cuba a plus de 3 500 km de côtes. Celle du Nord est en grande partie rocheuse et escarpée, à l'exception de la partie centrale qui est couverte de mangliers. Celle du Sud est basse et marécageuse, sauf au pied de la Sierra Maestra.

Le climat

Cuba est située dans la zone tropicale. L'archipel est soumis à l'action des vents alizés du Nord-Est, en hiver, et de l'Est Nord-Est, en été. En outre, il bénéficie des courants chauds originaires de la mer des Caraïbes, qui forment le *Gulf Stream* au large de la Floride.

A l'exception de certaines manifestations de type continental, à l'intérieur de l'île, la température varie très peu. Elle ne tombe jamais en dessous de 10°. A la Havane elle est de 25° par an en moyenne.

Quant à la température de l'eau, elle est de 26 à 27° en hiver, et de 28 à 30° en été.

En fait, les Cubains distinguent deux saisons : la saison sèche de novembre à avril, et la saison humide de mai à octobre. Les mois de transition sont avril et novembre.

A certaines époques de l'année, surtout en septembre et octobre, des ouragans d'une extrême violence peuvent s'abattre sur l'archipel. Les vents atteignent alors jusqu'à 300 km/h. Ils provoquent des pluies torrentielles et des raz de marée. Le dernier en date, en 1963, fit plus de 4 000 morts et laissa 170 000 Cubains sans abri. En 1926, un ouragan dans la région de La Havane projeta à 10 km de la côte un bateau de 100 t. Tourbillons de 5 à 8 000 m de haut et de plusieurs centaines de kilomètres de diamètre, les ouragans durent une huitaine de jours. C'est l'un des pires fléaux naturels de notre planète. Pour y faire face, les Cubains ont installé, au cours des dernières années, quelque soixante stations météorologiques et des radars extrêmement puissants.

Autre fléau dont l'archipel a été la victime : les tremblements de terre. Ils se sont manifestés notamment à Trinidad et Santiago. Leur intensité peut atteindre 7 sur l'échelle de Richter.

L'hydrographie

Cuba a plus de 200 rivières. Mais à cause de sa forme étroite et allongée, de son relief, de son climat, elle n'a pas de cours d'eau importants. La plupart des rivières, dont les niveaux sont très variables en raison des précipitations, coulent du Nord vers le Sud ou vice versa. Elles ont une quarantaine de kilomètres de long en moyenne. Celle qui a le plus grand nombre d'affluents (71) est le rio Toa dans le Nord-Est du pays. Les deux principales sont le rio Cauto (370 km), partiellement navigable, et le rio Sagua la Grande (163 km). Le rio Cauto se jette dans le golfe de Guacanayabo.

Beaucoup de rivières sont en partie souterraines. C'est notamment le cas des rios Cuyaguateje, Cuzco, Moa et Guaso. D'autres ont des cascades dont la beauté naturelle attire de nombreux visiteurs. Les plus célèbres sont celles du rio Hanabanilla, dans la province de Sancti Spiritus. Elles s'échelonnent sur une distance de 350 m.

Cuba n'a pas de lacs naturels, mais les lagunes y sont nombreuses. Les trois principales sont La Leche (67 km²), Barbacoas (19 km²) et Ariguanabo (9 km²). La région lacustre la plus importante de l'île est l'isthme de Guanahacabibes, dans la partie occidentale. On y dénombre plus de cent lagunes dont l'une, dans la vallée de San Juan, est la plus profonde du pays (25 m).

La flore

Les véritables forêts tropicales humides n'existent pas à Cuba, sauf dans quelques petits canyons de la Sierra Maestra et de la Sierra del Escambray. Les voyageurs étrangers qui parcourent l'archipel à la recherche d'une végétation aussi luxuriante que celle de l'Amérique centrale ou de l'Amérique du Sud, risquent, à cet égard, d'être déçus. Ils auront l'impression de retrouver partout, à peu de choses près, la même végétation. Pourtant huit mille espèces de végétaux y ont été dénombrées.

Le relief

Les deux tiers du territoire cubain sont occupés par des plaines. Il serait peut-être plus juste de parler de savanes car le ventre de ce crocodile est bosselé et les étendues herbeuses, parsemées de palmiers et de mimosées, résistent encore à la canne à sucre.

D'Ouest en Est, on distingue sur ce territoire exigu quatre massifs montagneux.

Sierra de los Organos. Située dans la province de Pinar del Rio, en bordure d'une vaste plaine dont les cultures principales sont le riz et le tabac, cette chaîne de montagne atteint son point culminant au Pan de Guajaibon (692 m). Elle se prolonge par la Sierra del Rosario.

Sierra del Escambray. Situé au Nord de la ville de Trinidad, ce massif montagneux s'étend sur 80 km. Le Pico San Juan (1 056 m) en est la cime la plus élevée.

Sierra Maestra. De part et d'autre de Santiago, cette chaîne de montagnes, la plus haute de Cuba, se divise en deux parties : la Sierra del Turquino, à l'Ouest, et la Sierra de la Gran Piedra, à l'Est. Elle s'étend sur 240 km entre Cabo Cruz et Guantánamo, mais sa largeur maximum ne dépasse pas une trentaine de kilomètres. Souvent perdu dans les brumes, le Pico Turquino (1 974 m) en est le point culminant. C'est aussi le sommet le plus élevé de l'archipel cubain. La Sierra Maestra est bordée au Nord par la vallée du Cauto, la rivière la plus longue du pays.

Sierra Cristal. Prolongée par la Sierra Sagua Baracoa, cette chaîne de montagnes est située au Nord de l'ancienne province d'Oriente, à l'Est de Cuba. Elle dépasse par endroits 1 000 m d'altitude. Le Pico del Cristal (1 231 m) en est la cime la plus élevée.

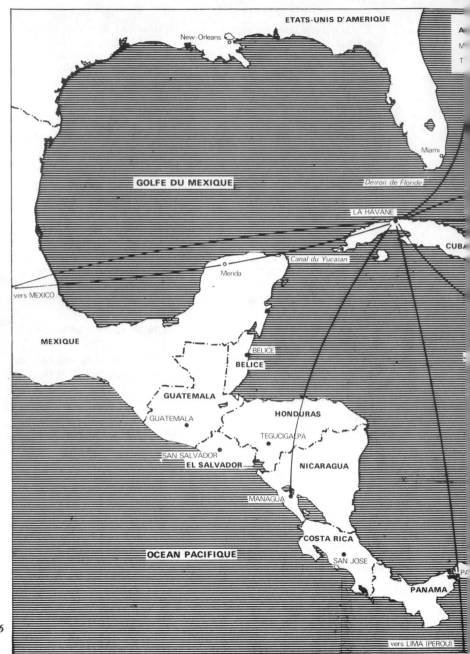

ETATS-UNIS D'AMERIQUE

New-Orleans

Miami

GOLFE DU MEXIQUE

Détroit de Floride

LA HAVANE

CUBA

Canal du Yucatan

Merida

vers MEXICO

MEXIQUE

BELICE

BELICE

GUATEMALA

HONDURAS

GUATEMALA

TEGUCIGALPA

SAN SALVADOR

EL SALVADOR

NICARAGUA

MANAGUA

COSTA RICA

OCEAN PACIFIQUE

SAN JOSE

PANAMA

vers LIMA (PEROU)

16

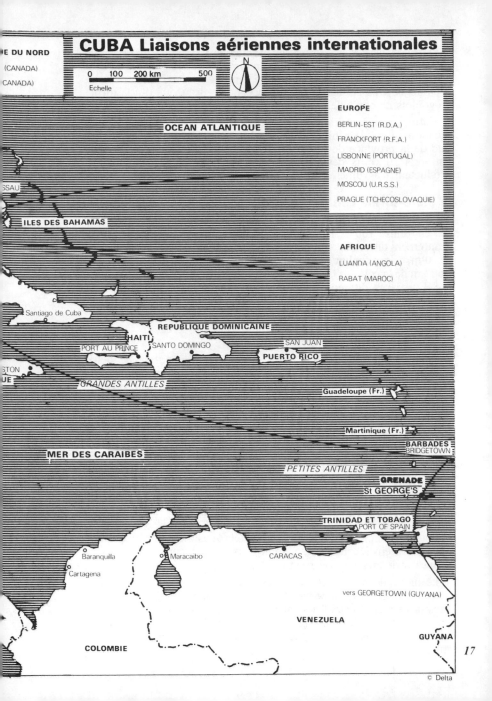

CUBA Liaisons aériennes internationales

E DU NORD

(CANADA)

CANADA)

0   100   200 km   500
Echelle

N

OCEAN ATLANTIQUE

EUROPE

BERLIN-EST (R.D.A.)

FRANCKFORT (R.F.A.)

LISBONNE (PORTUGAL)

MADRID (ESPAGNE)

MOSCOU (U.R.S.S.)

PRAGUE (TCHECOSLOVAQUIE)

SSAU

ILES DES BAHAMAS

AFRIQUE

LUANDA (ANGOLA)

RABAT (MAROC)

Santiago de Cuba

REPUBLIQUE DOMINICAINE

HAITI

PORT AU PRINCE   SANTO DOMINGO

SAN JUAN

PUERTO RICO

STON

UE

GRANDES ANTILLES

Guadeloupe (Fr.)

Martinique (Fr.)

BARBADES
BRIDGETOWN

MER DES CARAIBES

PETITES ANTILLES

GRENADE
St GEORGE'S

TRINIDAD ET TOBAGO
PORT OF SPAIN

Baranquilla   Maracaibo   CARACAS

Cartagena

vers GEORGETOWN (GUYANA)

VENEZUELA

GUYANA

COLOMBIE

17

© Delta

Outre ses plaines et ses massifs montagneux, l'île de Cuba possède des criques et des baies en quantité innombrable. Les plus vastes sont celles de Guantánamo, Santiago, Nipe, Nuevitas, Matanzas et Cienfuegos sans oublier la baie des Cochons. Beaucoup ont la forme de goulots de bouteille.

Enfin, cette description du relief cubain serait incomplète si l'on ne mentionnait pas la péninsule de Zapata, vaste région marécageuse au Sud de la province de Matanzas. Des travaux importants y ont été entrepris au cours des dernières années, pour en faire un centre producteur d'agrumes.

la plate-forme continentale

La plate-forme continentale de Cuba s'étend sur 70 000 km². Elle descend entre 100 et 200 m de profondeur autour de l'île de Cuba proprement dite. Aux alentours des *cayos,* elle ne descend pas au-delà de 20 m, ce qui explique l'exceptionnelle transparence des eaux. Mais, à 60 km de la côte, au large de la Sierra Maestra, une des plus grandes fosses marines du monde, la Fosa de Oriente, atteint 7 243 m de profondeur. Beaucoup plus loin, à 320 km au Sud de la ville de Trinidad, la Fosa de Bartlett descend à 6 950 m.

Les récifs coralliens

Cuba est une table de corail mort que crèvent par endroits de vieux massifs cristallins. De part et d'autre de la côte, au Nord comme au Sud, des barrières de récifs coralliens affleurent à la surface de l'eau. On reconnaît leur présence, lorsque la mer les recouvre, à l'écume des vagues, même par temps calme. Ils ont été construits par des animaux marins au squelette calcaire, madrépores et millépores, qui sont abondants dans les mers chaudes. La barrière de corail qui se dresse au large de la province de Camagüey est la seconde du monde par sa longueur après celle de l'Est de l'Australie. Elle a 400 km.

Outre les récifs-barrières, situés en pleine mer, Cuba a des récifs frangeants, à proximité des côtes, dont ils sont séparés par d'étroits bras de mer, les lagons. Les eaux y sont calmes. La mangrove, les palétuviers et les mangliers, seuls végétaux à pouvoir résister à la salinité, forment dans ces régions des forêts quasiment impénétrables, non seulement à cause du sol spongieux mais encore grâce à leurs racines aériennes plus ou moins entrelacées.

Le mode de reproduction de ces végétaux est original. Arrivé à maturité, le fruit ne tombe pas. La graine germe à l'intérieur et plonge dans la vase en formant des racines auxquelles se fixent les huîtres. Ibis, frégates et cormorans font leurs nids dans ces sombres frondaisons. Quant aux crabes, ils creusent des trous par milliers entre les racines.

Le survol des guirlandes d'îles, vêtues de palétuviers, et des récifs coralliens, couverts d'algues vertes, est un spectacle impressionnant.

L'arbre le plus fréquent est, en tout cas, le palmier. Il y en aurait 70 millions, ce qui placerait Cuba parmi les premiers du monde en ce qui concerne la quantité. Egaillés dans les savanes ou dans les champs de canne à sucre, rassemblés en bouquets capricieux, se mirant dans l'eau des rivières ou couronnant une colline, alignés dans un parc ou jaillis d'un patio, dressés à l'ombre d'une église baroque, penchés sur un troupeau de zébus, ils sont omniprésents. Le plus majestueux est le palmier *Roystonea regia* dont on peut admirer de magnifiques exemplaires dans le jardin botanique de Cienfuegos. Le plus rare est le *Hyerocycas calocoma* de l'époque préhistorique, dans la province de Pinar del Rio.

C'est avec les feuilles de palmiers que les paysans cubains, *guajiros,* ont toujours construit le toit de leurs maisons. Ils continuent de s'en servir pour faire des chapeaux, des corbeilles, des cordes. Le tronc de l'arbre est utilisé pour la construction des maisons et des clôtures. Quant au fruit, qui se présente sous la forme de régime comme les dattes, il est essentiellement destiné à l'alimentation des cochons. Mais la principale originalité du palmier, c'est l'usage de son écorce brune, la *yagua* qui enveloppe la partie supérieure du tronc. Matériau souple, imputrescible et inattaquable par les insectes, il ne sert pas seulement à faire des cloisons ou des murs. Grâce à ses qualités naturelles, la *yagua* permet de conserver le tabac dans d'excellentes conditions. Les paysans cubains en font des étuis pour conserver leurs cigares.

Cuba, bien sûr, n'a pas que des palmiers. Très nombreux également sont les pins de toutes espèces. Sur les plages de la côte septentrionale, d'autre part, les cocotiers se comptent par milliers. Ils forment souvent des chapelets de plusieurs kilomètres qui rappellent les plages brésiliennes ou africaines.

Depuis une vingtaine d'années, un nouvel arbre a fait son apparition : l'eucalyptus. Les Cubains en ont planté des centaines de milliers, surtout dans les régions qui avaient été systématiquement déboisées par les Espagnols au cours des siècles. Mais Cuba est surtout célèbre par ses essences précieuses et ses bois d'exceptionnelle qualité : l'acajou, le cèdre, le gaïac, le bois de fer, etc... Deux cents espèces au total ont valu au mobilier colonial cubain d'être un des plus remarquables d'Amérique latine.

Outre les manguiers, avocatiers et autres arbres fruitiers à l'état sauvage, les fleurs sont aussi nombreuses que variées. La plus populaire est la *mariposa,* de couleur blanche.

La faune

Comme toutes les îles des Caraïbes, Cuba n'a pas de serpents venimeux même si certains reptiles, dont la longueur peut atteindre trois mètres, inspirent une légitime inquiétude à ceux qui les approchent. Les promenades à pied ne sont donc pas dangereuses. Dans le même ordre d'idées, les chasseurs de gros gibier seront déçus. A l'exception du sanglier et du cerf dans la province de Pinar del Rio, et du zèbre sauvage dans les îles de la côte Nord, il n'y a ni tigre ni éléphant ni hippopotame. Cuba n'est pas l'Afrique. En contrepartie, des milliers de crocodiles de toutes les tailles pullulent dans la péninsule de Zapata. C'est dans cette région que se trouve une des plus grandes réserves du monde. Il y a également des sauriens au pied de la Sierra Maestra.

Au large de La Havane et de Varadero, les requins sont rares. Ils sont trop loin de la côte, en tout cas, pour pouvoir attaquer les baigneurs. Il n'en va pas de même à l'Ouest de Santiago où les pêcheurs de la région prétendent qu'ils sont nombreux.

Avec un peu de chance il est possible d'apercevoir des iguanes, monstrueux reptiles qui semblent surgir de la préhistoire. Ils sont inoffensifs.

Les moustiques et les crabes de cocotiers sont en définitive les plus agaçants. Dans certaines régions du pays et sur la côte, les moustiques sont nombreux et agressifs. Ils ne transmettent toutefois aucune maladie. Quant aux crabes, ils ont pour habitude de sortir de leurs cachettes pendant la nuit et d'émettre des grincements ininterrompus. Les voyageurs qui couchent dans des bungalows au bord de la mer s'y habituent difficilement. Sur la route du littoral qui va de Trinidad à Cienfuegos, les crabes femelles descendent par milliers des collines avoisinantes, à certaines époques de l'année, pour aller pondre au bord de la mer. Il n'est pas rare que des voitures aient leurs pneus crevés si les automobilistes s'engagent sur ce tapis mouvant.

Que dire encore de la faune cubaine ? Il y a les pélicans de la baie de Cienfuegos, les perroquets et les singes, 300 espèces d'oiseaux, 900 espèces de poissons, les langoustes et 4 000 variétés de mollusques, oursins et éponges. Les adeptes de la pêche sous-marine seront ravis.

Le *guacamayo* est le plus bel oiseau du pays, et le *sapito* la plus petite grenouille du monde : 1 cm de haut.

La population

Cuba compte approximativement 10 millions d'habitants dont le cinquième vit à La Havane. Comme dans la plupart des pays en voie de développement, la croissance démographique est élevée. De 1925 à 1962, la population a plus que doublé. Malgré le départ de quelque 800 000 personnes au lendemain de la Révolution, le nombre des habitants augmente régulièrement. Il dépassera largement les 10 millions dans les années 80. Autre caractéristique importante : 42 % des Cubains ont moins de 20 ans.

Lors du premier recensement, qui eut lieu en 1774, 25 % des 171 620 habitants de l'archipel étaient Noirs. A l'heure actuelle, la population se répartit comme suit : 72,8 % de Blancs, 14,5 % de Métis, 12,4 % de Noirs et 0,3 % de Jaunes. Ces chiffres sont évidemment sujets à discussion car beaucoup de Blancs, par exemple, pourraient être classés parmi les Métis.

Les Indiens. A l'arrivée de Christophe Colomb, en 1492, les Indiens étaient tout au plus une centaine de milliers. Ils appartenaient à trois grandes familles : les *Siboneyes*, les *Tainos* et les *Guanajuata-beyes*. Tout semble indiquer aujourd'hui que leurs ancêtres, les *Arawaks*, furent originaires du continent Sud-américain d'où ils émigrèrent pour des raisons inconnues vers les Antilles.

Les *Siboneyes*, de constitution robuste, habitaient généralement dans des cavernes, extrêmement nombreuses à Cuba. Grâce aux recherches entreprises depuis le début du siècle, on a retrouvé des peintures rupestres qui témoignent de leur existence dans plusieurs régions de l'île. Récemment des spéléologues cubains ont découvert dans une grotte de la Sierra de Cubitas, dans la province de Camagüey, les seules peintures rupestres connues jusqu'à ce jour retraçant l'arrivée des *conquistadores* espagnols. Les Siboneyes vivaient de la chasse et de la pêche.

Les *Tainos*, de culture plus développée, étaient de corps svelte. Sobres, de nature hospitalière, ils connaissaient l'agriculture, le tissage et la poterie. Ils construisaient eux-mêmes leurs habitations. A plusieurs reprises, ils durent combattre les *Caribes*, peuple guerrier qui provenait des îles avoisinantes. Les Tainos occupaient la moitié orientale de Cuba.

Quant aux *Guanajuatabeyes*, moins connus, ils vivaient surtout dans l'Ouest de Cuba. Les premiers Espagnols qui entrèrent en contact avec eux racontèrent à leur retour en Europe qu'ils avaient une queue comme les animaux. Les récentes découvertes faites à Cuba permettront peut-être d'en savoir davantage !

Le fait est que, à la différence du Mexique ou du Pérou, les Indiens de Cuba n'eurent pas de civilisation florissante. Aucune trace de monuments ou de villes. Cent ans après l'arrivée de Christophe Colomb, décimés par les Espagnols ou exterminés par les maladies, ils n'étaient déjà plus que quelques centaines. A l'exception d'un millier d'Indiens, importés par la suite comme esclaves du Mexique et du

Guatemala, les rares descendants de ces populations aborigènes, aujourd'hui métissés, vivent dans certaines régions de la Sierra Maestra, dans les montagnes de Baracoa et sur les rives du rio Yara.

Les Noirs. En trois siècles et demi, du XVIe au XIXe siècle, plus d'un million d'esclaves furent importés du continent africain, notamment de la côte occidentale. Les premiers arrivèrent à Cuba dans les premières années du XVIe siècle. Mais ce ne fut qu'après l'abolition officielle de l'esclavage des Indiens, en 1548, que la traite des Noirs ne commença véritablement. Les rois d'Espagne s'en assurèrent le monopole.

Les navires négriers longeaient les côtes africaines et chargeaient à bas prix hommes et femmes qu'ils empilaient à fond de cale en les enchaînant les uns aux autres. Avant de monter à bord, les esclaves étaient baptisés et recevaient un nom chrétien. Les conditions de la traversée étaient éprouvantes car, pour gagner le maximum d'argent, les trafiquants n'hésitaient pas à entasser 500 et même 700 passagers sur des caravelles de cent tonneaux. Beaucoup mouraient pendant le voyage. La traite des Noirs entre l'Afrique et les trois Amériques fut à cet égard un des plus grands génocides de l'histoire.

La principale époque de ce trafic se situe entre 1715 et 1815. La marine à voile régnait alors sans partage sur les océans. Profitant des vents et des courants, les navires négriers qui effectuaient la traite des Noirs entre l'Afrique occidentale et Cuba mettaient seize mois en moyenne pour accomplir le circuit triangulaire Espagne - Afrique - Caraïbes - Espagne.

La traite eut de tout temps des limites géographiques sur le continent africain. Les trafiquants, en effet, ne pénétraient pas très loin en pays de forêts sauf s'ils pouvaient emprunter un fleuve navigable. Ils se contentaient donc des régions côtières et, dans le meilleur des cas, ils se hasardaient de temps à autre à parcourir la savane comme au Soudan.

Au total, les esclaves importés à Cuba furent originaires d'une centaine de groupes et sous-groupes ethniques différents. Les négriers allèrent les acheter ou les capturer dans toute la partie de la côte africaine comprise entre le Sénégal et l'Angola. Il est pratiquement impossible de préciser dans quelles régions de Cuba s'établit tel ou tel groupe ethnique africain. Mais on peut affirmer que quatre grands groupes réussirent à agglutiner autour d'eux tous les autres : les *Yorubas* ou *Lucumis*, les *Congos*, les *Carabalis* et les *Araras*.

Au début du XIXe siècle, les Noirs étaient si nombreux à Cuba qu'ils constituaient plus de la moitié de la population. Par la suite, entre 1913 et 1927, lorsque la traite était depuis longtemps terminée, 250 000 Noirs originaires d'Haïti et de la Jamaïque reçurent l'autorisation de s'installer à l'Est et au centre de Cuba pour travailler dans les plantations de tabac ou de canne à sucre. C'est ainsi que dans certains villages, aux alentours de Trinidad, on parle encore le créole haïtien.

Les Asiatiques. Plus de 120 000 Chinois de la région de Canton émigrèrent à Cuba dans la seconde moitié du XIXe siècle. Ils ont leur quartier et leurs restaurants à La Havane. Seul un autre pays hispano-américain, le Pérou, a une colonie chinoise presque aussi importante. Inaugurée en 1931, dans la capitale cubaine, une colonne en granit de 8 m de haut rappelle la participation de la colonie chinoise aux guerres de l'Indépendance. Pas un ne trahit ni déserta.

Les Blancs. La grande majorité des Cubains est d'origine espagnole. Les immigrants arrivèrent surtout des régions pauvres de la péninsule Ibérique : la Galice, comme les parents de Fidel Castro, les Asturies et l'Extremadure. D'autres sont originaires des îles Canaries. Il suffit de visiter les petites villes de l'intérieur à Cuba ou les vieux quartiers de Santiago pour remarquer des similitudes frappantes avec certaines localités asturiennes ou galiciennes. Même le folklore a conservé des traces espagnoles comme le *zapateo* et le *punto guajiro*. Enfin, souvent les Cubains, comme leurs ancêtres, originaires des régions pauvres, sont sobres et vigoureux, mais petits de taille.

La langue

La langue officielle est l'espagnol, mais, comme dans tous les pays latino-américains, l'espagnol y a ses intonations particulières et de nombreux mots sont d'origine africaine ou indienne. On reconnaît aisément les Cubains à leur diction rapide, bruyante, et au fait qu'ils n'articulent pas distinctement certaines syllabes. En outre, ils emploient des expressions ou des tournures de phrase qui leur sont propres. Le mot *guagua* signifie autobus à Cuba, et aux îles Canaries, mais bébé au Chili. On pourrait citer d'autres exemples du même genre.

Les voyageurs étrangers qui croient très bien connaître l'espagnol risquent d'avoir quelques difficultés à comprendre les Cubains au début de leur séjour. Mais ils finiront par s'habituer à leur accent qui est grosso modo similaire à celui de tous les *hispanophones* dans les Caraïbes.

Les religions

Le peuple cubain est dans sa majorité catholique, de cœur et d'esprit, même s'il ne va pas à la messe tous les dimanches. L'enseignement donné dans les écoles, depuis le triomphe de la Révolution, a-t-il fait baisser le nombre des pratiquants ? C'est probable.

Il ne faut pas oublier, néanmoins, que les églises n'ont jamais été nombreuses à Cuba. On n'en voit guère dans les villages. Dans un pays où les Indiens avaient été rapidement disséminés, les colonisateurs espagnols se soucièrent peu de christianiser les populations de l'intérieur. A la veille de la Révolution, le nombre des prêtres, dont la moitié au moins était d'origine espagnole, ne dépassait guère quelques centaines.

Avec l'arrivée de Fidel Castro au pouvoir, lui-même élevé chez les jésuites, le seul moment difficile dans les rapports entre l'Eglise et l'Etat se situa aux alentours de 1960. Certains membres du clergé, en effet, voulurent s'opposer à la réforme agraire. Cependant les relations entre Cuba et le Vatican ne furent jamais interrompues. Et les églises sont toujours restées ouvertes aux fidèles.

En ce qui concerne les protestants, ils sont tout au plus une centaine de milliers. Ils ont un droit d'antenne à la radio et publient diverses brochures.

Les israélites sont encore moins nombreux. La liberté du culte leur a toujours été assurée et ils ont quelques synagogues.

Seuls les témoins de Jéhovah, qui sont restés longtemps actifs après le triomphe de la Révolution, entretenant des foyers de résistance dans la Sierra del Escambray, continuent à avoir des difficultés pour pratiquer leur religion.

Il serait impensable de conclure ces commentaires sans rappeler l'importance de la *santería* à Cuba (voir le chapitre qui y est consacré). Jusqu'en 1959, cette religion d'origine africaine, à laquelle se mêlent des rites catholiques, a été vivace dans les quartiers pauvres des grandes villes et dans les campagnes, à l'égal du *vaudou* en Haïti et de la *macumba* ou du *candomblé* au Brésil. Depuis une vingtaine d'années, elle a tendance à régresser considérablement, les enfants de toute origine recevant une éducation marxiste à l'école. La *santería* continue, toutefois, d'être pratiquée.

Le drapeau

Le drapeau cubain a été dessiné, au XIXe siècle, par le poète Miguel Teurbe Tolón. Ses deux bandes blanches représentent la paix. Ses trois bandes bleues symbolisent les trois anciennes provinces de l'archipel. Le triangle équilatéral de couleur rouge rappelle le sang versé pour l'Indépendance, et ses trois côtés, la devise *Liberté, Egalité, Fraternité*. Au centre de ce triangle, enfin, l'étoile blanche à cinq branches symbolise la Liberté.

L'histoire

La découverte

Lorsque Christophe Colomb aborde Cuba, le 28 octobre 1492, il est convaincu qu'il se trouve dans une province de l'empire continental du grand Khan dont Marco Polo avait décrit les richesses dans ses notes de voyage. Il longe la côte Nord pendant cinq semaines, entre Puerto Padre et la pointe de Maisí, sans s'apercevoir pour autant que Cuba est une île.

Le pays est alors habité par cent mille Indiens approximativement. Ils appartiennent à trois familles différentes : les **Siboneyes** et les **Guanajuatabeyes,** peuples nomades qui vivent de la chasse et de la pêche, et les **Taínos,** peuple sédentaire qui se consacre à l'agriculture.

Lors de son deuxième voyage à Cuba, en 1494, Christophe Colomb longe la côte Sud et découvre l'île des Pins. En arrivant dans la baie de Cortés, il fait établir un document officiel qui certifie que *la Juana* — nom qu'il donne à Cuba en l'honneur du prince Juán, fils des Rois Catholiques — fait partie intégrante du continent asiatique.

Il faudra attendre l'année 1509 avant qu'un explorateur, Sebastián de Ocampo, fasse le tour complet de Cuba avec deux caravelles et parvienne ainsi à la conclusion qu'il s'agit d'une île.

La conquête

Nommé gouverneur de Cuba — nom indien de l'île — par le fils de Christophe Colomb, Diego Velázquez reçoit pour mission de conquérir le pays. En 1510, il débarque à la tête d'une petite armée de 300 hommes dans les environs de la baie de Guantánamo. De tempérament pacifique, les Indiens constatent très vite que les *conquistadores* espagnols ne reculent devant aucun moyen pour les chasser de leurs terres. Sous la conduite de l'un d'entre eux, Hatuey, originaire d'une île voisine, ils opposent une résistance farouche aux envahisseurs. Ceux-ci se voient contraints de construire un fort en bois et de s'y replier pour ne pas être massacrés. Ils fonderont sur les lieux la première ville de Cuba : Nuestra Señora de la Asunción, devenue plus tard Baracoa. Le siège durera trois mois. Finalement, grâce à une manœuvre de diversion, Hatuey est capturé dans les montagnes d'Oriente et brûlé vif sur un bûcher le 2 février 1512. « *Si les chrétiens vont au ciel,* dit-il au prêtre avant de mourir, *eh bien, je ne veux pas y aller.* » C'est l'un des premiers héros de l'histoire coloniale des Amériques.

Les années qui suivent verront le massacre systématique des populations indiennes. Révolté par les « horribles vilénies » auxquelles il assiste, le R. P. Bartolomé de Las Casas s'en plaint aux Rois

Catholiques qui l'accusent de mettre en péril les intérêts de l'Espagne. Lorsque Diego Velázquez terminera la conquête de Cuba, en 1514, les Indiens ne seront plus que quelques centaines.

L'histoire

La colonisation

Constatant que les quelques mines d'or s'épuisent très vite, les Espagnols installés à Cuba préfèrent tenter l'aventure au Mexique et au Pérou. La Couronne d'Espagne s'en inquiète et, dès 1526, met sur pied une administration locale en menaçant de la peine de mort tout citoyen qui s'expatrie sans son autorisation.

Avec cette politique énergique, La Havane commence à se développer. On y compte, au début du XVIIᵉ siècle, plus de 10 000 habitants. Ils vivent du commerce. Les bateaux espagnols, chargés d'or et de pierres précieuses, qui reviennent de Carthagène (Colombie), Veracruz (Mexique) et Saint-Domingue, font en effet escale dans le port avant de rejoindre l'Europe. Ils chargent du tabac et du sucre.

Pendant plus d'un siècle, Cuba sera surtout un pays de transit et, pour les armées espagnoles, le tremplin idéal de la conquête du continent américain. En outre, les attaques de flibustiers, qui rôdent dans la mer des Caraïbes, rendent difficile toute politique de développement intérieur. Cette situation dure jusqu'à la signature du traité de Ryswick, en 1697, lorsque les puissances européennes décident de mettre fin à la piraterie.

Durant la première moitié du XVIIIᵉ siècle, Cuba prend alors son véritable essor économique. La culture du tabac et de la canne à sucre ainsi que l'élevage se développent sur une grande échelle, malgré les impôts élevés de la Couronne et de l'Eglise. Les premiers conflits éclatent entre la population locale et la métropole car l'Espagne s'est assurée le monopole du commerce et notamment celui du tabac en 1717.

En août 1762, un événement accélérera l'évolution du pays : les Anglais occupent La Havane et ouvrent le port au commerce mondial. De religion protestante, ils imposent la liberté du culte. C'est de cette époque également que datent les premières loges de la franc-maçonnerie qui joueront un rôle déterminant dans les mouvements révolutionnaires du XIXᵉ siècle. Lorsque les Anglais se retirent de La Havane, en 1763, en échange de la Floride, la Couronne d'Espagne est obligée de lâcher un peu de lest. En 1777, elle décide de placer Cuba sous l'autorité directe d'un capitaine général. Le pays compte alors un peu moins de 180 000 habitants dont près de la moitié sont des esclaves noirs.

Depuis le début du XVIᵉ siècle, les Espagnols ont en effet importé des dizaines de milliers d'esclaves du continent africain pour les faire

27

travailler dans les mines et les plantations. Beaucoup se soulèveront contre leurs maîtres et seigneurs.

Les guerres de l'Indépendance

Au fur et à mesure que Cuba se développe, les contradictions s'aggravent entre créoles (descendants d'Espagnols nés à Cuba) et Espagnols. La première conspiration en faveur de l'Indépendance éclate en 1809 mais elle est vite étouffée. Dans toute l'Amérique Ibérique, les soulèvements populaires se font de plus en plus nombreux. La Colombie, la première, se libère du joug étranger en 1810. Conduits par Simón Bolivar, un créole vénézuélien, les patriotes Sud-américains finissent par écraser l'armée espagnole, en décembre 1824, à la bataille d'Ayacucho, au Pérou. Dès lors, l'Espagne n'a plus que deux colonies dans le Nouveau Monde : Cuba et Porto Rico. Les Etats-Unis commencent à s'y intéresser de près.

Le 10 octobre 1868, dans son domaine sucrier de La Demajagua, au Sud de Manzanillo, Carlos Manuel de Céspedes, propriétaire terrien franc-maçon, sonne les cloches à toute volée pour annoncer la libération de ses esclaves et appeler ses compatriotes à se soulever contre le joug espagnol. C'est le début de la première guerre de l'Indépendance : la guerre de Dix Ans. Les insurgés sont à peine 160 lorsqu'ils engagent le combat. Dès l'année suivante, soutenus par des milliers de partisans, ils proclament la République à Guáimaro et se donnent pour président Carlos Manuel de Céspedes qui est âgé de 50 ans à peine. Sur les territoires conquis, ils libèrent les esclaves.

Armés de *machetes,* longs couteaux effilés utilisés pour la coupe de la canne sur pied, les patriotes cubains ne peuvent résister aux armes plus modernes de l'armée espagnole. Dans les villes le pouvoir colonial fait régner la terreur. Victoires et défaites se succèdent. En 1874, Carlos Manuel de Céspedes tombe les armes à la main à la bataille de San Lorenzo. Quatre ans plus tard, les insurgés signent le pacte de Zanjón qui met fin à leurs espérances. Seule, une poignée d'entre eux, commandés par le général mulâtre Antonio Maceo, refusent ce pacte de dupes et poursuivent la lutte jusqu'en 1880.

L'esclavage est aboli en 1886. L'Espagne, néanmoins, ne tient pas les promesses de libéralisation qu'elle avait faites pour mettre un terme à la guerre de Dix Ans. Un jeune patriote cubain, José Marti, s'était vu condamner au bagne, à l'âge de 17 ans, pour avoir écrit à un ami une lettre jugée subversive. Né à La Havane, en janvier 1853, fils d'un sergent d'artillerie de l'armée espagnole, il passera les deux tiers de son existence en exil. C'est à l'étranger qu'il prépare la nouvelle insurrection qui conduira son pays à l'Indépendance. Journaliste, il écrit des centaines d'articles politiques dans les principaux organes de
presse du continent américain. Adversaire résolu de l'Espagne et des

Etats-Unis, il symbolise à ce point l'esprit de liberté et de justice sociale des jeunes nations ibéro-américaines que trois d'entre elles — l'Argentine, l'Uruguay et le Paraguay — le chargent de les représenter officiellement à Washington. En 1891, réfugié aux Etats-Unis, il fonde le Parti Révolutionnaire Cubain avec l'espoir de libérer également Porto Rico.

La République

Le 20 mai 1902, le général Wood, gouverneur militaire des Etats-Unis, transmet les pouvoirs au premier président de la République de Cuba, en précisant que son pays, grâce à l'amendement Platt, se réserve le droit d'exercer sa « médiation » entre les Cubains. C'est de là que vient l'expression de *République médiatisée*.

Imposé au pays sans la moindre élégance de forme, humiliant pour la souveraineté nationale, l'amendement Platt soulève l'indignation du peuple cubain. De nombreuses manifestations se déroulent dans l'île et mettent en péril les assises du jeune Etat. Il provoque également de vigoureuses protestations de la part des libéraux américains. Ceux-ci étaient d'autant plus outrés que, huit mois avant le traité de Paris, le Congrès avait voté, le 19 avril 1898, une résolution affirmant textuellement : *« Les Etats-Unis renoncent à toute intention ou volonté d'exercer leur souveraineté, juridiction ou domination sur ladite île, excepté à des fins de pacification, et déclarent qu'ils sont résolus, lorsque celle-ci sera effective, à remettre le gouvernement et le contrôle de l'île à son peuple. »*

La résolution avait été approuvée et signée, le lendemain, par le président McKinley. Il en violera l'esprit et la lettre, avant d'être assassiné par un anarchiste en septembre 1901.

C'est donc sous le gouvernement de son successeur, le président Théodore Roosevelt, que sera signé, le 22 mai 1903, le fameux *traité permanent déterminant les relations entre les Etats-Unis et la République de Cuba*. En vertu des dispositions énoncées dans les huit articles de l'amendement Platt, les Etats-Unis obtiennent la base navale de Guantánamo, l'administration de l'île des Pins et des privilèges économiques substantiels. Ils se voient accorder ainsi des tarifs préférentiels, dont des bonifications de 20 à 40 %, qui leur permettent de contrôler plus des trois quarts du marché cubain.

En contrepartie, Cuba est assurée de vendre son sucre aux Etats-Unis à un prix avantageux. Enfin, à la faveur de ce régime de protectorat, les hommes d'affaires américains obtiennent rapidement le monopole virtuel de l'industrie de la canne à sucre, de l'extraction du nickel, du tabac ainsi que celui des télégraphes et téléphones.

Il avait été précisé dans le traité de Paris que les Etats-Unis assureraient l'indépendance de Cuba et recevraient, outre Porto Rico, *29* toutes les îles, sous souveraineté espagnole, dans les Antilles. Grâce à cette manœuvre diplomatique, les Américains ont pu exclure du traité l'île des Pins, en faisant valoir que Cuba était une île et non pas un archipel. Ils s'en assurent l'administration. Ils préconiseront dans l'article 6 de l'amendement Platt que son statut sera défini dans un futur traité.

Très rapidement, les Cubains se mobilisent autour d'un comité anti-impérialiste qui multiplie protestations et meetings populaires. En 1925, les Etats-Unis finissent par reconnaître officiellement la souveraineté de Cuba sur l'île des Pins.

En février 1895, la lutte pour l'Indépendance reprend à Cuba : des soulèvements éclatent en Oriente et dans plusieurs régions du pays. José Marti et le général dominicain Máximo Gomez débarquent sur la côte Sud, à Playitas, et le général Antonio Maceo, sur la côte Nord, à Duaba. Les deux groupes d'insurgés se rejoignent, à La Mejorana, dans la région de Santiago, et mettent au point un plan général d'invasion. Mais, José Marti tombe peu après, le 19 mai, à la bataille de Dos Rios, sur les rives du rio Cauto. « *La liberté ne se demande point,* s'écrie le général Antonio Maceo, *elle se conquiert au fil de la machette.* » Il mourra lui-même, en 1896, à la bataille de San Pedro. Comme Marti, il craignait, dans son nationalisme farouche, la toute-puissance des Etats-Unis qu'il suspectait de visées expansionnistes.

Tandis que les puissances européennes procèdent, à la même époque, au démantèlement de la Chine, les combats font rage sur le territoire cubain. En novembre 1897, l'Espagne offre l'autonomie complète à sa colonie mais les insurgés refusent tout compromis. « *L'Indépendance ou la mort !* », crient-ils, en reprenant les paroles qu'avait lancées, une trentaine d'années plus tôt, Carlos Manuel de Céspedes.

La situation s'aggrave au point que les Etats-Unis, depuis longtemps décidés à étendre leur influence vers le Sud, envoient le croiseur *Maine* dans la baie de La Havane, pour *« protéger, en cas de besoin, les vies et les biens des citoyens américains ».* Le 15 février 1898, une mystérieuse explosion, à bord du bateau de guerre, tue 266 marins américains. L'opinion publique des Etats-Unis est scandalisée. Le 18 avril, la Chambre des Représentants et le Sénat votent une résolution exigeant le retrait des Espagnols de Cuba et reconnaissent le droit de l'île à l'indépendance. Elu un an auparavant, le président William McKinley est autorisé à employer la force si nécessaire pour atteindre ces objectifs. Sept jours plus tard, les Etats-Unis entrent en guerre contre l'Espagne. Les combats dureront à peine trois mois. Le 10 décembre 1898, les Etats-Unis et l'Espagne signent le traité de Paris qui prévoit l'indépendance de Cuba et la cession aux Etats-Unis des colonies espagnoles de Porto Rico, Guam et des Philippines.

L'amendement Platt

Le 1er janvier 1899, le dernier capitaine général espagnol transmet ses pouvoirs au premier gouverneur américain de Cuba, le général John Brode. Le traité de paix a été signé sans que les représentants des insurgés aient été invités à y apposer leurs signatures ou à y assister. Malgré l'insistance du général Máximo Gomez, devenu par ses prouesses le général en chef de l'armée des patriotes cubains — l'armée *mambi* — les Etats-Unis refusent de reconnaître l'assemblée populaire cubaine et de lui transférer les pouvoirs. Révolté et amer, le général Gomez se retirera de la vie publique et mourra en juin 1905.

Décidé à faire valoir les droits des Etats-Unis sur Cuba, le président McKinley déclare, le 5 décembre 1899, que l'île devra rester unie à son pays par des liens singulièrement étroits, « *by ties of singular intimacy and strength* ». Quelques mois plus tard, le général Leonard Wood, nouveau gouverneur militaire américain, qui commande une force d'occupation de 6 000 hommes, décide par décret qu'une Assemblée Constituante de trente membres se réunira, en novembre, pour rédiger la Constitution du nouvel Etat et y préciser les futures relations qu'il entretiendra avec Washington. Il informe aussitôt la commission de cinq membres, créée à cette occasion, que : 1°) Cuba ne pourra accorder aucun droit à une puissance étrangère quelconque sans l'accord des Etats-Unis ; 2°) Cuba réservera aux Etats-Unis le droit d'intervenir pour sauvegarder son indépendance et assurer la stabilité des gouvernements ; 3°) les décrets signés par les autorités militaires américaines resteront en vigueur après l'Indépendance ; 4°) les Etats-Unis pourront acquérir des bases sur le territoire cubain.

La commission en question refuse l'essentiel des exigences américaines, notamment le droit d'intervention et les bases navales. Le président McKinley fait alors approuver par le Congrès un amendement du sénateur Orvill Platt — l'amendement Platt — en vertu duquel les Etats-Unis se voient reconnaître le droit d'intervenir à Cuba chaque fois que la paix sociale et la sécurité des citoyens y seront menacées. Le 12 juin 1901, grâce à des menaces à peine voilées, il obtient de l'Assemblée Constituante cubaine qu'elle le ratifie. « *En acceptant cet amendement,* proteste Juan Gualaberto Gomez, un ami de Marti, *vous donnez aux Américains la clé de notre maison.* »

Entre-temps, les troupes américaines étaient intervenues à plusieurs reprises à Cuba. Après une première occupation du pays, de 1898 à 1902, elles étaient revenues, en 1906, à la demande de Tomás Estrada Palma qui, invoquant l'amendement Platt, voulait assurer de la sorte sa réélection à la présidence de la République. Elles y resteront deux ans et quatre mois, période pendant laquelle Cuba sera gouvernée par un avocat du Nebraska, Charles Magoon, assisté du général Enoch Crowder.

Le 28 janvier 1909, les Américains transmettent le pouvoir au nouveau président de la République, le général José Miguel Gomez. La corruption de son gouvernement est telle qu'il reçoit le sobriquet de *Don Pepe Tiburón,* Zézé le Requin.

Nouvelle intervention militaire américaine, en 1917, lorsque les libéraux cubains contestent la réélection frauduleuse du général Mario Menocal, alors président de la République. *« Nous ne reconnaîtrons aucun gouvernement installé par des moyens révolutionnaires »,* déclarent les Etats-Unis. Stationnés à Guantánamo, des fusiliers marins pénètrent dans le territoire cubain jusque dans la province de Camagüey. Ils resteront jusqu'en 1920.

Commence alors une période trouble au cours de laquelle dictatures et coups d'Etats se succèdent avec l'aval des Etats-Unis. En 1925, le général Gerardo Machado prend le pouvoir mais ses méthodes autoritaires, la corruption de l'administration et surtout la crise du marché du sucre provoquent sa chute en août 1933.

Les Etats-Unis refusent de reconnaître le nouveau gouvernement qui est dirigé par Ramón Grau San Martín. En quatre mois, ce dernier signe une série de décrets importants : autonomie universitaire, journée de travail de huit heures, nationalisation de l'électricité, vote des femmes. A la conférence de Montevideo, le représentant de Cuba dénonce l'amendement Platt et l'ingérence américaine. Washington s'inquiète.

La dictature de Batista

Le 15 janvier 1934, le colonel Fulgencio Batista renverse le gouvernement de Grau San Martín. Sans avoir le titre de président de la République, c'est lui, en fait, qui détiendra le pouvoir réel. Commandant en chef de l'armée et ministre de la Défense, il acceptera de libéraliser le pays à partir de 1938, répondant ainsi aux vœux exprimés par le président Franklin Delano Roosevelt.

En juillet 1940, Batista se fait élire président de la République. Quatre ans plus tard, à la fin de son mandat, il se retire aux Etats-Unis. Mais l'homme est ambitieux : soutenu par de puissants lobbies, il s'empare du pouvoir le 10 mars 1952 et gouvernera dès lors en dictateur. Les opposants au régime sont traqués dans tout le pays, bien souvent torturés et assassinés. Alors que plus de la moitié des salariés vivent dans des conditions misérables, la famille et les amis de Batista amassent des millions de dollars.

La corruption s'installe dans les hautes sphères de l'Etat. Profitant de la situation, les businessmen américains parviennent à contrôler

90 % des mines de nickel et des haciendas cubaines, 80 % des services publics, 50 % des chemins de fer et, avec les Anglais, la totalité de l'industrie pétrolière.

L'agitation grandit dans les milieux universitaires. Le 26 juillet 1953, 120 jeunes que dirige Fidel Castro attaquent la caserne de La Moncada, à Santiago, avec l'espoir de renverser Batista. La tentative échoue. Les assaillants qui ont pu échapper à la torture et à la mort sont jugés au mois de septembre. Fidel Castro comparaît devant un tribunal spécial, à huis clos, et au cours de sa défense qu'il assure lui-même, il prononce sa fameuse plaidoirie : *« L'histoire m'acquittera »*. Condamné à quinze ans de prison, il retrouvera la plupart des survivants de la Moncada dans le pénitencier de l'île des Pins.

A l'occasion d'une amnistie générale, en 1955, Fidel Castro et ses compagnons sont libérés. Décidés à reprendre le combat, ils rassemblent au Mexique une poignée de combattants en exil. Ernesto *Che* Guevara, jeune médecin et révolutionnaire argentin, se joint à eux. Ensemble, ils forment une expédition de 82 hommes qui embarqueront sur le yacht *Granma*. Ils débarquent le 2 décembre 1956 sur la côte cubaine, au pied de la Sierra Maestra. Surpris par l'armée, ils se retrouvent une vingtaine pour former le premier foyer de guérilla à Cuba.

La lutte sera longue, mais, accueillis avec enthousiasme par la population, les *barbudos* sont plusieurs centaines, puis plusieurs milliers. Fidel Castro, son frère Raúl, Camilo Cienfuegos, *Che* Guevara sont quelques-uns de leurs chefs les plus prestigieux. A partir du mois d'août 1958, l'armée rebelle passe à la contre-offensive et, de victoire en victoire, elle pénètre cinq mois plus tard dans La Havane. L'accueil est triomphal. Batista a eu à peine le temps, le 1er janvier 1959, de s'enfuir en République Dominicaine.

La Révolution

Lors d'un débat avec les étudiants de l'Université de Concepción, au Chili, Fidel Castro évoqua, en 1971, les origines de la guérilla et sa propre formation intellectuelle.

« On me dit à cette Université qu'il y avait dans notre guérilla des travailleurs et des étudiants de différents partis et mouvements politiques. C'est faux. Notre premier noyau de guérilla ne s'est pas organisé avec des militants de différents partis politiques mais avec des gens qui avaient adhéré à notre cause. Ceux qui ont constitué le noyau de notre armée rebelle étaient des ouvriers et des paysans sans parti. Dans certains cas, ils avaient même appartenu dans le temps à des partis classiques traditionnels dont ils ne voulaient plus entendre parler (...) Vous ne savez peut-être pas qu'au moment du triomphe de la Révolution nous défendions la consigne des élections. Oui, nous

défendions cette consigne. Pourquoi ? Nous l'avons déjà dit : parce que le programme du mouvement du 26 juillet n'était pas encore un programme socialiste. A l'époque de l'attaque de la caserne Moncada, c'était en matière sociale et révolutionnaire le maximum que nous pouvions offrir à notre peuple. Cela ne veut pas dire que nous n'étions pas socialistes. Je ne veux pas dire non plus que j'étais communiste. Mais j'avais eu la chance d'avoir reçu une formation intellectuelle particulière. Fils de propriétaire foncier — une bonne raison d'être réactionnaire — élevé dans des écoles religieuses réservées aux fils de riches — une deuxième bonne raison d'être réactionnaire — élevé dans un pays comme Cuba, où tous les films, toutes les publications étaient « made in USA » — une troisième bonne raison d'être réactionnaire — je suis entré à l'université où, sur 15 000 étudiants, trente seulement étaient anti-impérialistes. Eh bien, j'ai fini par faire partie de cette minorité. Croyez-moi, aucun membre du Parti communiste, aucun socialiste, aucun extrémiste n'est venu m'endoctriner. »

De fait, lorsque Fidel Castro assume le poste de Premier ministre, en février 1959, il se veut au-dessus des partis politiques. C'est un révolutionnaire. Les communistes eux-mêmes avaient longtemps hésité avant de rejoindre les rangs de l'armée rebelle. Epris de liberté et de justice sociale, il croit encore qu'il pourra procéder à de profondes réformes de la société cubaine, sans avoir à faire un choix radical entre les deux blocs. Il l'affirme, au mois d'avril, à l'occasion de son voyage aux Etats-Unis sur l'invitation de l'association des propriétaires de grands journaux : *« Le problème terrible de notre époque est que le monde doit choisir entre le capitalisme qui affame le peuple et le communisme qui résout les problèmes économiques mais supprime les libertés. Le capitalisme sacrifie l'homme. L'Etat communiste par sa conception totalitaire de la liberté sacrifie les droits de l'homme. C'est pourquoi nous ne sommes d'accord ni avec l'un ni avec l'autre. Notre révolution est une révolution cubaine autonome. Elle est aussi cubaine que notre musique. Peut-on imaginer que tous les peuples écoutent la. même musique ? »*

En mai 1959, le gouvernement révolutionnaire, qui a déjà réduit de moitié tous les loyers, promulgue la première réforme agraire. Tous les latifundia sont nationalisés, ce qui permet à l'Etat de devenir propriétaire de plus de la moitié des terres agricoles. La surface maximum des propriétés individuelles est fixée à 402 ha afin d'assurer à l'économie cubaine les avantages de la grande exploitation. Par contre, en fixant à 28 ha le « minimum vital », cent mille paysans environ deviennent propriétaires. Quatre ans plus tard, il est vrai, le gouvernement promulguera une seconde réforme agraire pour abaisser à 67 ha la limite maximum de la propriété privée.

Tout au long de l'année 1959, le gouvernement cubain procédera à des réformes de caractère social qui exaspèrent la classe moyenne. En même temps, des centaines de partisans du dictateur Batista, dont beaucoup de tortionnaires, puis des opposants actifs de la Révolution, seront fusillés ou condamnés à de lourdes peines de prison.

Les barbudos au pouvoir

Les relations entre La Havane et Washington se détérioreront rapidement au cours de l'année 1960. Le 5 juillet, les Etats-Unis refusent d'acheter le reliquat du quota sucrier cubain, soit 700 000 tonnes. Quatre jours plus tard, l'Union Soviétique se porte acquéreur et offre, en contrepartie, 300 000 tonnes de pétrole à un prix préférentiel. La Standard Oil, la Texaco et la Shell, qui contrôlent le secteur pétrolier à Cuba, réagissent aussitôt et déclarent qu'elles ne raffineront pas le pétrole soviétique, malgré une loi de mai 1938 qui les oblige à traiter tout combustible acquis par l'Etat cubain. Fidel Castro n'hésite pas : il nationalise les trois compagnies, le 6 août, ainsi que d'autres biens américains.

En quelques mois, d'escalade en escalade, la Révolution va se radicaliser. Au cours d'un meeting monstre, sur la place de la Révolution, un million de Cubains approuvent la Première Déclaration de La Havane contre la mainmise des Etats-Unis sur l'Amérique latine. Le 3 janvier 1961, Washington rompt ses relations diplomatiques avec La Havane. A la même époque, plus de 200 000 volontaires commencent une grande campagne d'alphabétisation.

En avril de la même année, exaspéré par un raid aérien contre les aéroports de La Havane et Santiago, qui fait 7 morts et 53 blessés, Fidel Castro proclame le caractère socialiste de la Révolution. Le lendemain de son discours, un corps expéditionnaire anticastriste, formé par la C.I.A., débarque à Playa Girón, dans la baie des Cochons, avec l'appui logistique de bombardiers et de navires de guerre. Plus de 1 200 expéditionnaires seront faits prisonniers après trois jours de combats. Le prestige de Fidel Castro est à son zénith.

A la suite de cet échec, le président John Kennedy décrète, le 25 avril, le blocus économique de Cuba. C'est une décision malheureuse qui encourage les dirigeants de La Havane à fomenter des foyers de guérillas en Amérique latine et à se rapprocher davantage de Moscou. En janvier 1962, à la Conférence de Punta del Este, en Uruguay, Cuba est exclue de l'Organisation des Etats américains par 14 voix contre 6 (Argentine, Bolivie, Brésil, Chili, Equateur et Mexique).

C'est alors que surviendra l'**affaire des fusées** — la crise d'octobre, selon la terminologie officielle cubaine. A la suite d'un accord militaire avec La Havane, les Soviétiques installent des rampes de lancement à Cuba, notamment dans la province de Pinar del Rio. Le   *35*

22 octobre, le président Kennedy décrète le blocus naval de l'île pour exiger le retrait des missiles à ogives nucléaires. Pendant plusieurs jours, le monde vacille au bord de l'abîme. Finalement, Nikita Kroutschev, numéro un du Kremlin, accepte de céder, à la condition que les Etats-Unis s'engagent à ne pas envahir Cuba. L'accord entre les deux « super-grands » s'est fait in extremis sans que Fidel Castro en soit personnellement informé. Il ne cachera pas son amertume. Mais, sept mois plus tard, en avril 1963, lors d'un voyage surprise à Moscou, il est triomphalement reçu par les dirigeants soviétiques.

Les années qui suivent verront Cuba se rapprocher progressivement de l'U.R.S.S., malgré des conflits idéologiques plus ou moins publics, notamment sur le rôle de la lutte armée, par exemple, dans les pays en développement. Décidé à poursuivre la Révolution ailleurs et à créer « *plusieurs Vietnams* » en Amérique latine, *Che* Guevara partira pour les maquis de Bolivie où il mourra en octobre 1967. Mais, dans le domaine économique, soumise aux contraintes du blocus américain, Cuba n'aura pas d'autre choix que de faire appel à l'aide soviétique. Celle-ci sera décisive. C'est l'U.R.S.S. qui achète le sucre cubain à des prix supérieurs à ceux du marché mondial. C'est encore elle qui fournit à Cuba tout le pétrole dont elle a besoin à des tarifs préférentiels. A la fin des années 60, les liens économiques entre les deux pays sont déjà essentiels à la survie de la Révolution.

La consolidation du régime

En 1970, Fidel Castro, qui estime que les stimulants moraux doivent désormais céder le pas aux stimulants matériels, lance une révolution culturelle à la chinoise. Il mobilise toute la population, quitte à désorganiser provisoirement les structures économiques, pour que soit battu le record de production annuelle de sucre, produit qui fournit plus de 80 % des rentrées en devises.

Moralement, c'est un revers car les 10 millions de tonnes prévues ne seront pas atteintes. Mais Cuba aura tout de même réussi à produire 8,5 millions de tonnes. A quel prix ? Le rationnement des denrées de première nécessité s'est aggravé, la productivité industrielle a diminué, des secteurs entiers de l'économie tournent au ralenti. C'est le moment choisi par le gouvernement cubain pour amorcer un nouveau tournant et amarrer solidement le pays à l'économie des pays socialistes européens. Grâce à la hausse exceptionnelle du prix du sucre sur le marché mondial, qui quadruple en quelques années, le premier plan quinquennal (1976-1980) pourra prévoir des investissements d'un montant total de quinze milliards de dollars.

Au fur et à mesure que le développement économique se confirme, Cuba institutionnalise peu à peu ses structures politiques. Trois organisations avaient été les éléments moteurs de la Révolution : le *Mouvement du 26 juillet,* essentiellement castriste ; le *Parti Socialiste Révolutionnaire,* de tendance communiste, et le *Directoire Révolutionnaire du 13 mars,* animé par des universitaires. Elles avaient fusionné, en 1961, sous le nom d'*Organisations Révolutionnaires Intégrées* puis, cinq mois plus tard, elle s'étaient transformées en *Parti Uni de la Révolution Socialiste de Cuba* avant de devenir, le 2 octobre 1965, le **Parti Communiste de Cuba.** Il était dès lors évident que le pays se doterait d'une constitution inspirée de celles des pays socialistes.

En 1974, une expérience de pouvoir populaire est tentée dans la province de Matanzas avant d'être appliquée à l'ensemble du pays. Dans une première étape, les candidats aux différentes assemblées populaires de la province seront désignés, à main levée, au niveau des **Comités de Défense de la Révolution** (CDR), la principale organisation de masses du régime. Puis, dans une seconde étape, un mois plus tard, tous les citoyens âgés de plus de 16 ans, y compris les militaires, élisent les membres des assemblées populaires, au scrutin majoritaire à deux tours. Dans chaque bureau de vote, un isoloir. Et, dans chaque circonscription, plusieurs candidats, parfois cinq ou six, pour le même poste à pourvoir. Enfin, aucune obligation d'appartenir au Parti ou à l'**Union des Jeunesses Communistes** pour présenter sa candidature. Ces élections, les premières depuis la Révolution, servirent de test aux futures institutions.

Dans l'année qui suit, le Parti Communiste de Cuba tient son premier congrès, la nouvelle constitution est approuvée par référendum populaire et, finalement, des élections générales ont lieu dans tout le pays. L'**Assemblée Populaire** qui en est issue confirme Fidel Castro dans ses fonctions de Président du Conseil. Il cumule en même temps celles de Premier Secrétaire du Parti Communiste. Cuba vit dès lors sous le régime du parti unique.

Paradoxalement, c'est l'alignement de La Havane sur Moscou et les autres pays socialistes de l'Europe de l'Est qui lui a permis de sortir de son isolement. En 1970, l'élection du président Salvador Allende, soutenu par une coalition de gauche, avait conduit le Chili à rétablir ses relations diplomatiques avec Cuba, malgré une résolution contraire à ce genre d'initiative de l'Organisation des Etats américains. Deux ans plus tard, en juillet 1972, les généraux progressistes du Pérou avaient pris, à leur tour, la même décision. La Guyana, la Barbade, Trinidad y Tobago et la Jamaïque en feront autant, en décembre 1972 ; l'Argentine, en mai 1973 ; Panama, les Bahamas et le Venezucla, dans le courant de l'année 1974. Progressivement la plupart des pays d'Amérique latine et des Caraïbes renoueront avec Cuba des relations diplomatiques et commerciales que seuls le Mexique et le Canada, sur le continent américain, avaient conservées. *37*

A partir de 1975, Washington et La Havane ont repris le dialogue. Quelques accords ont été signés sur la piraterie aérienne et les droits de pêche. Les deux gouvernements sont même convenus d'avoir des missions spéciales dans leurs capitales respectives. *« Mais, tant que les Etats-Unis ne lèveront pas le blocus,* réaffirme Fidel Castro, *nous n'engagerons pas de véritables négociations pour renouer des relations diplomatiques. »* Déclaration qui n'a pas empêché la reprise des échanges culturels, sportifs et touristiques entre les deux pays, et la libération, en 1978 et 1979, de centaines de détenus politiques. Puis, l'autorisation accordée à des dizaines de milliers de Cubains de quitter leur pays pour les Etats-Unis.

Et pourtant... comme pour prouver de façon éclatante qu'ils n'avaient pas renoncé, malgré les apparences, à aider les mouvements révolutionnaires du Tiers Monde, les Cubains se sont lancés dans des opérations militaires en Afrique. C'est d'abord en Angola où, sur les instances du président Agostinho Neto, ils ont envoyé plus de dix mille combattants, dès l'année 1975, pour stopper l'avance des forces rebelles soutenues par les Etats-Unis et l'Afrique du Sud. Ce sera ensuite en Ethiopie où des bataillons de l'armée cubaine aideront à repousser les envahisseurs venus de Somalie. Beaucoup verront dans ces opérations une collusion entre La Havane et Moscou pour « déstabiliser » le continent africain.

« Le devoir de tout révolutionnaire est de faire la révolution », a dit Fidel Castro. Cuba n'a pas renoncé à ce principe.

Chronologie

Du XVe au XVIIe siècle
1492
Christophe Colomb découvre Cuba.
1509
Deux caravelles espagnoles font le tour complet de l'île.
1510
Nommé gouverneur de Cuba, Diego Velázquez débarque à la tête d'une petite armée de 300 hommes pour prendre possession du pays.
1512
Fondation de la première ville : Nuestra Señora de la Asunción (Baracoa).
1524
Arrivée des 300 premiers esclaves africains.
1526
Mise en place de l'administration espagnole.

XVIIIe siècle
1717
Monopole du tabac.

1728
Fondation de l'Université de La Havane.
1762-63
Occupation de La Havane par les Anglais.
1790
Parution du premier journal rédigé à Cuba : *Papel Periódico*.

XIXᵉ siècle
1809
Première conspiration en faveur de l'Indépendance.
1818
Liberté générale du commerce.
1819
Naissance de Carlos Manuel de Céspedes, le Père de la Patrie.
1825
Cuba et Porto Rico restent les seules colonies de l'Espagne en Amérique.
1838
Inauguration de la première voie ferrée à Cuba et en Amérique latine.
1850
Le drapeau cubain, aux couleurs actuelles, est hissé pour la première fois à Cárdenas.
1853
Naissance de José Marti, l'Apôtre de l'Indépendance.
1866
Première expérience ouvrière de « lecteurs » dans la fabrique de cigares *El Fígaro* à La Havane.
1868
Carlos Manuel de Céspedes déclenche la première guerre de l'Indépendance dans sa propriété de La Demajagua, près de Manzanillo. Elle durera dix ans.
1869
Constitution républicaine de Guáimaro.
1874
Carlos Manuel de Céspedes tombe les armes à la main à la bataille de San Lorenzo, dans la Sierra Maestra.
1878
Le pacte de Zanjón met fin à la première guerre de l'Indépendance. Mais le général cubain Antonio Maceo réagit en lançant la Protestation de Baragua.
1886
Abolition de l'esclavage.
1891
José Marti fonde le Parti Révolutionnaire Cubain.

1895
Animée par José Marti et le général dominicain Máximo Gomez, la seconde guerre de l'Indépendance débute en février. Trois mois plus tard, à la bataille de Dos Rios, Marti tombe face aux troupes espagnoles.

1896
Mort du général Antonio Maceo, un des héros des guerres de l'Indépendance, à la bataille de San Pedro.

1898
En février, explosion du cuirassé américain *Maine* dans le port de La Havane ; en avril, les Etats-Unis déclarent la guerre à l'Espagne ; en décembre, signature du traité de Paris en vertu duquel Madrid cède ses droits sur Cuba et Porto Rico.

1898-1902
Cuba est dirigée par des gouverneurs américains.

XXᵉ siècle

1901
Les Etats-Unis font inscrire dans la Constitution cubaine « l'amendement Platt » qui leur assure le droit d'intervenir dans les affaires intérieures du pays. Ils obtiendront la base navale de Guantánamo.

1902
Proclamation de la République.

1906
Intervention militaire américaine. Assisté du général Enoch Crowder, un avocat du Nebraska gouvernera Cuba pendant deux ans et quatre mois.

1912
Nouvelle intervention militaire américaine.

1917-20
Occupation militaire américaine.

1925-33
Dictature du général Gerardo Machado.

1927
Naissance de Fidel Castro.

1934
Le colonel Fulgencio Batista renverse le gouvernement progressiste de Ramón Grau San Martín et Guiteras. Le colonel Mendieta devient président provisoire.

1936
Ministre de la Défense et commandant en chef de l'armée, le général Batista détient en fait le pouvoir.

1938
Le général Batista légalise le Parti Communiste et accepte de convoquer une Assemblée constituante.

1940
Le général Batista est élu président de la République et forme un gouvernement d'unité nationale dans lequel les communistes détiennent deux ministères sans portefeuille.

1944
Grau San Martín prend la succession du général Batista.

1946
Les communistes passent à l'opposition.

1948
Prio Socarras est élu président de la République.

1952
Coup d'état militaire du général Batista, dix semaines avant les élections générales. Il instaure la dictature.

1953
Attaque de la caserne Moncada, à Santiago, par Fidel Castro et ses partisans.

1956
Débarquement du *Granma* sur la côte méridionale de Cuba. Fidel Castro, son frère Raúl, Camilo Cienfuegos, Haydée Santamaria et Ernesto Guevara pénètrent avec une poignée de révolutionnaires dans la Sierra Maestra.

1957
Assassinat de Frank Pais par la police de Batista à Santiago.

1959
En janvier, chute de Batista et installation du gouvernement révolutionnaire dirigé par Fidel Castro ; en mai, première réforme agraire ; en juillet, Osvaldo Dorticos est nommé président de la République.

1960
En janvier, le président Eisenhover réduit les importations de sucre cubain ; en février, Cuba et l'U.R.S.S. renouent leurs relations diplomatiques et signent un accord commercial ; en mars, explosion du cargo *La Coubre* dans le port de La Havane ; en juin, nationalisation des raffineries anglo-américaines de pétrole ; en juillet, le Sénat américain décide de suspendre tout achat de sucre cubain ; en août, Cuba exproprie tous les biens américains ; en septembre, tous les pays membres de l'Organisation des Etats Américains (OEA), à l'exception du Mexique, excluent Cuba de leur communauté.

1961
En janvier, rupture des relations diplomatiques entre Cuba et les Etats-Unis ; en avril, plus de 1 500 mercenaires anticastristes armés par les Américains sont écrasés à Playa Girón, après 72 heures de combats. Fidel Castro proclame solennellement que la Révolution est socialiste. Une grande campagne d'alphabétisation permet de réduire le taux des illettrés à 3,9 %.

1962
Le président John Kennedy décrète, en octobre, le blocus naval de Cuba et somme l'U.R.S.S. de retirer ses fusées à ogives nucléaires. En contrepartie d'un accord de dernière minute, il s'engage à ne pas intervenir militairement pour renverser le régime de La Havane.

1963
Visite-surprise de Fidel Castro en U.R.S.S. où il est triomphalement reçu. Deuxième réforme agraire : 70 % des terres sont désormais nationalisés.

1964
En janvier, nouveau voyage de Fidel Castro en U.R.S.S.

1965
Fidel Castro lit sur la place de la Révolution, à La Havane, la lettre d'adieu de *Che* Guevara qui séjourne en Afrique au cours de l'année.

1966
En janvier, Conférence de la Tricontinentale, à La Havane, avec la participation des mouvements révolutionnaires du Tiers Monde. Affrontement entre les thèses soviétiques et chinoises.

1967
En juillet-août, réunion de l'Organisation Latino-Américaine de Solidarité (OLAS) à La Havane. Elle dénonce la thèse de l'alliance avec la bourgeoisie nationale et affirme que la lutte armée est la « voie fondamentale » de la révolution en Amérique latine. En octobre, mort de *Che* Guevara dans les maquis de Bolivie.

1968
En janvier, Congrès des intellectuels à La Havane. Fidel Castro souligne le dogmatisme de certains dirigeants communistes ; en mars, liquidation définitive de tout le secteur privé de l'économie, à l'exception de l'agriculture et de l'élevage ; en août, Fidel Castro approuve avec des réserves l'intervention soviétique en Tchécoslovaquie.

1970
Production record de sucre : plus de 8 millions de tonnes. Mais l'objectif prévu (10 millions) n'a pas été atteint et le gouvernement décide de réorganiser l'économie.

1971
En mars, arrestation d'Heberto Padilla, Prix national de poésie en 1968. Il sera libéré après avoir fait son autocritique. En novembre-décembre, séjour officiel de Fidel Castro au Chili, suivi d'escales au Pérou et en Equateur.

1972
En mai-juin, Fidel Castro visite neuf pays d'Afrique et d'Europe de l'Est ; en juillet, Cuba renoue ses relations diplomatiques avec le
Pérou ; en décembre, l'U.R.S.S. décide de reporter la dette cubaine.

1974

En janvier-février, Leonid Brejnev séjourne à Cuba ; en mai, premières élections municipales au suffrage universel dans la province de Matanzas.

1975

En juillet, la conférence de l'OEA, à San José de Costa Rica, autorise chaque pays membre de l'organisation inter-américaine à définir sa propre position à l'égard de Cuba ; en novembre, Cuba intervient, pour la première fois, en Afrique et envoie plus de 10 000 soldats en Angola *(Opération Carlota)* afin de soutenir le gouvernement du président Agostinho Neto ; en décembre, premier congrès du nouveau Parti Communiste, né de la fusion du Mouvement de Libération du 26 juillet, de l'ancien Parti Communiste fondé en 1925 et de divers organismes révolutionnaires.

1976

En février, la Constitution est approuvée par 97,7 % des électeurs : système économique socialiste mais reconnaissance d'un petit secteur de propriété privée (agriculture, élevage, transports et bien acquis par le travail). Liberté du culte. Le Parti Communiste est la *« force dirigeante supérieure de la société et de l'Etat »* ; en octobre-novembre, premières élections à l'Assemblée Populaire. Fidel Castro est confirmé dans ses fonctions de président du Conseil d'Etat et de secrétaire général du Parti Communiste Cubain.

1977

En avril, accord entre La Havane et Washington sur la délimitation des zones de pêche ; en décembre, fixation de la frontière maritime entre les deux pays.

1978

En mars-avril, le corps expéditionnaire cubain, en Ethiopie, participe victorieusement aux combats contre l'armée somalienne en Ogaden ; en juillet-août, Festival Mondial de la Jeunesse et des Etudiants à La Havane ; en août-septembre, La Havane autorise 48 prisonniers politiques cubains à demander le droit d'asile aux Etats-Unis. Fidel Castro reçoit une délégation d'exilés cubains à La Havane ; en novembre, il se déclare prêt à libérer 3 200 prisonniers politiques, au rythme de 400 par mois, si les Etats-Unis acceptent de les accueillir.

1979

En septembre, Conférence au sommet des Pays Non-Alignés à La Havane.

1981

Elections à la deuxième Assemblée Populaire.

1982

Xe Congrès de la Fédération Syndicale Mondiale (FSM).

Cuba aujourd'hui

La Constitution

La Constitution de 1976, approuvée par 97,7 % des électeurs, a mis fin aux institutions provisoires qui avaient été mises en place au début de la Révolution.

Cuba est un Etat socialiste d'ouvriers et de paysans (art. 1) guidé par le marxisme-léninisme. Les libertés traditionnelles sont garanties, notamment la liberté de parole et de presse, à condition qu'elles soient conformes aux objectifs de la société socialiste (art. 52). Le système économique repose sur la propriété collective des moyens de production (art. 14) mais Cuba reconnaît la propriété privée (art. 22), l'héritage (art. 23) et le droit à la terre des petits agriculteurs (art. 21). Le droit de grève n'est pas garanti.

Sur le plan international, Cuba condamne l'impérialisme, souhaite l'intégration des peuples des Caraïbes et de l'Amérique latine, reconnaît la coexistence pacifique et pratique l'internationalisme prolétarien (art. 12). La disposition la plus originale est celle qui prévoit que l'aide aux pays victimes d'agressions et aux peuples en lutte pour leur libération est un devoir internationaliste.

Enfin, sur le plan politique, le principe général essentiel est l'affirmation du rôle dirigeant du Parti Communiste de Cuba dont le premier congrès a eu lieu en décembre 1975.

Les Institutions

L'**Assemblée nationale** est l'organe suprême du pouvoir d'Etat (art. 67 à 86). Elle est élue pour cinq ans au suffrage indirect par les Assemblées municipales du pouvoir populaire. Les députés doivent rendre compte devant les électeurs de leurs mandats et sont révocables à tout moment. L'Assemblée nationale, qui dispose du pouvoir constituant et du pouvoir législatif, élit son président qui assiste aux réunions du Conseil d'Etat. Elle élit également, parmi les députés, le Conseil d'Etat, les ministres, les membres du Tribunal Suprême, le procureur général ainsi que les vice-procureurs généraux. Elle doit se réunir deux fois par an.

Le **Conseil d'Etat,** qui comprend un président, un premier vice-président, cinq vice-présidents, un secrétaire et vingt-trois membres, ressemble au Présidium du Soviet Suprême de l'U.R.S.S. Comme lui, il est élu pour la durée de la législature par l'Assemblée nationale qui peut le révoquer à tout moment. Il est responsable devant l'Assemblée. Comme lui, il dispose d'institutions législatives, notamment du droit d'adopter des décrets-lois entre les sessions de l'Assemblée, de modifier la composition du gouvernement, de décréter la mobilisation générale.

Le **président du Conseil d'Etat** est à la fois chef de l'Etat et chef du gouvernement. Cette disposition est originale parmi les pays socialistes car seule la Roumanie a un chef d'Etat qui préside tout à la fois le Conseil d'Etat et le Conseil des ministres. Mais, dans ce dernier pays, l'institution du président de la République a été établie en 1975, alors qu'elle disparaît à Cuba.

Le **Conseil des ministres,** élu par l'Assemblé nationale, sur proposition du président du Conseil d'Etat et chef du gouvernement, a une structure hiérarchisée. Le président, le premier vice-président et les vice-présidents constituent le Comité exécutif du gouvernement qui dispose, en cas d'urgence, de la plénitude des attributions gouvernementales (art. 95). Une particularité, sans doute inspirée de l'expérience roumaine, découle de l'article 99 qui prévoit que le secrétaire général de la Centrale des Travailleurs de Cuba a le droit de participer aux séances du Conseil des ministres et de son comité exécutif.

Enfin, Cuba est maintenant divisée en 14 provinces et 169 municipalités. La durée du mandat des assemblées municipales est de deux ans et demi, mais cette durée pourra être prolongée *« en cas de circonstances exceptionnelles »*. Seules les assemblées municipales sont élues au suffrage universel direct par les citoyens âgés de seize ans au moins. Les assemblées provinciales sont élues par les délégués aux assemblées municipales, c'est-à-dire au suffrage indirect.

Les élections de 1976

Les premières élections générales ont eu lieu en octobre 1976. Les 10 740 élus aux 160 assemblées municipales ont désigné les 450 députés de l'Assemblée nationale.

Elu président du Conseil d'Etat, Fidel Castro cumule, en même temps, les fonctions de commandant en chef des forces armées et de premier secrétaire du Parti Communiste. Son frère, Raúl Castro, ministre des forces armées, a été élu au poste de premier vice-président du Conseil d'Etat. Enfin, perdant constitutionnellement le titre de président de la République qu'il portait depuis 1959, Osvaldo Dorticos a été élu au Conseil d'Etat. Le nouveau gouvernement, approuvé par l'Assemblée nationale, le 3 décembre 1978, comprend 23 ministres et 10 responsables de comités d'Etat.

Les organisations de masse

Fondé en 1925 par Julio Antonio Mella, le **Parti Communiste de Cuba** a eu une existence légale jusqu'en 1943, date à laquelle il s'est transformé en **Parti Socialiste Populaire.**

Absent, en 1958, de la formation du front révolutionnaire contre la
dictature de Batista, le Parti Socialiste Populaire fusionne néanmoins,

en 1961, avec le Mouvement du 26 juillet, dirigé par Fidel Castro, et le Directoire Révolutionnaire, au sein des Organisations Révolutionnaires Intégrées. Puis, cinq mois plus tard, le **Parti Uni de la Révolution Socialiste de Cuba** est officiellement créé. En 1964, Fidel Castro annonce la constitution du nouveau Parti Communiste de Cuba. Il tiendra son premier congrès en décembre 1975.

Mis en place à l'origine pour éviter les actes de sabotage contre le nouveau régime, les **Comités de Défense de la Révolution** (C.D.R.) sont progressivement devenus des organisations de masse qui prêtent leur concours bénévole aux autorités : vaccination des enfants en âge scolaire, aide aux vieillards, embellissement de locaux et jardins publics, brigades de volontaires pour la récolte de la canne à sucre, lutte contre le gaspillage, etc... Installés dans chaque pâté de maisons des zones urbaines et dans chaque village, les C.D.R. forment à l'heure actuelle un véritable tissu sanguin à travers tout le pays. Plus de 4,5 millions de Cubains en font partie.

Comme dans les autres pays socialistes, diverses organisations de masse jouent un rôle important dans la vie économique et politique de Cuba. L'une des plus originales est l'**Association Nationale des Petits Agriculteurs** dont les quelque 200 000 membres possèdent 25 % des terres en culture à Cuba.

Citons, enfin, les **Micro-Brigades,** groupes de volontaires qui participent à la construction de logements et de quartiers résidentiels.

L'économie

L'économie cubaine repose essentiellement sur l'agriculture et l'élevage.

Premier producteur mondial de **sucre** de canne (7,5 millions de tonnes environ), Cuba vend près de la moitié de sa récolte à l'Union Soviétique qui lui paie un prix quatre fois plus élevé que celui pratiqué sur le marché mondial. Le sucre représente plus de 85 % des rentrées en devises du pays.

Malgré la perte du marché américain, qui absorbait avant la Révolution plus de 65 % des exportations de **tabac,** Cuba est parvenue en quelques années à trouver de nouveaux débouchés à l'Ouest comme à l'Est. La production annuelle oscille autour de 300 millions de cigares, 8 milliards de cigarettes brunes et 3 milliards de cigarettes blondes. La région qui produit les meilleurs *havanes* du monde, Vuelta Abajo, est située aux alentours de San Luís et San Juan y Martinez, dans la province de Pinar del Rio.

Avec une production annuelle de 40 000 t, dont les deux tiers sont exportés, le **nickel** est en valeur le second produit d'exportation de Cuba. La production devra doubler dans les années 80, ce qui permettra au pays de rester l'un des principaux producteurs.

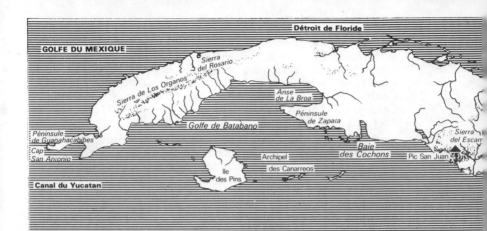

Détroit de Floride

GOLFE DU MEXIQUE

Sierra del Rosario

Sierra de Los Organos

Anse de La Broa

Péninsule de Zapata

Péninsule de Guanahacabibes

Golfe de Batabano

Sierra del Escan

Cap San Antonio

Baie des Cochons

Pic San Juan

Archipel des Canarreos

Ile des Pins

Canal du Yucatan

MER DES CARAIBES

LA HAVANE

PLAYA

3

BAUTA

MATANZAS

2

4

PINAR DEL RIO

SANTA CLAR

1

5

6

CIENFUEGOS

NUEVA GERONA

SANC

15

Capitale

Capitale de Province

Limite de province

N

0   25   50km   100

Echelle

PROVINCES	8 CIE
1 PINAR DEL RIO	9 CA
2 LA HABANA	10 LA
3 CUIDAD DE LA HABANA	11 G
4 MATANZAS	12 H
5 CIENFUEGOS	13 S
6 VILLA CLÃRA	14 G
7 SANCTI SPIRITUS	15 IS

CUBA Divisions administratives

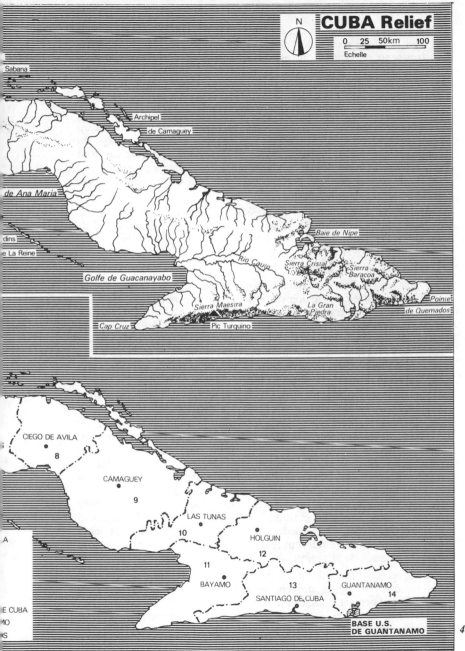

CUBA Relief

N

0   25   50km   100
Echelle

Sabana

Archipel
de Camaguey

de Ana Maria

dins
e La Reine

Golfe de Guacanayabo

Baie de Nipe

Rio Cauto

Sierra Cristal

Sierra
Baracoa

Sierra Maestra

La Gran
Piedra

Pointe
de Quemados

Cap Cruz

Pic Turquino

CIEGO DE AVILA

8

CAMAGUEY

9

LAS TUNAS

10

HOLGUIN

12

11

BAYAMO

13

SANTIAGO DE CUBA

GUANTANAMO

14

BASE U.S.
DE GUANTANAMO

A

E CUBA
MO
S

49

© Delta

Outre ces trois produits qui fournissent la quasi-totalité des rentrées en devises, Cuba a considérablement développé l'**élevage** et la **pêche.** Le troupeau de bovins qui est actuellement de 8 millions de têtes passera dans les années qui viennent à 12 millions. En ce qui concerne la pêche, Cuba est depuis quelques années dans le peloton de tête des pays du Tiers Monde, avec 200 000 t par an. Sa flottille de pêche est une des plus modernes d'Amérique latine.

Malheureusement, sans fer, sans manganèse, sans charbon ni pétrole, Cuba est défavorisée par rapport à la plupart des pays du continent américain. Le pays est obligé d'importer pratiquement tout son pétrole d'Union Soviétique, soit plusieurs millions de tonnes par an, à un prix il est vrai préférentiel, puisqu'il est le tiers du prix pratiqué sur le marché mondial.

Malgré la diversification progressive de ses marchés extérieurs, Cuba dépend encore pour une large part de l'Union Soviétique et de. ses alliés. Les relations commerciales franco-cubaines restent faibles.

L'éducation

« Que les étudiants manient la houe le matin et la plume l'après-midi. » C'est sur ce principe de Jose Marti, héros cubain du XIXᵉ siècle, que repose tout le système de l'éducation. Avec un taux de fréquentation scolaire supérieur à 95 %, Cuba est en tête des pays du Tiers Monde. De 1959 à 1977, le nombre des enfants scolarisés est passé de 811 345 à près de 3 millions dans le primaire et de 88 135 à plus de 400 000 dans le secondaire. Pendant la même période, celui des universitaires est passé de 15 000 à 60 000 environ.

En vertu du principe « martien » exposé ci-dessus, Cuba a construit quelque deux cents écoles secondaires, les **ESBEC** (Ecoles Secondaires de Base), généralement connues sous le nom plus simple de *básicas*. On les reconnaît aisément à leur forme en H : un bâtiment blanc pour les salles de classes, un autre pour les dortoirs et le réfectoire. Les deux sont reliés par une galerie suspendue. Chaque *básica* reçoit en moyenne 500 élèves, filles et garçons, et possède un auditorium, une bibliothèque, des laboratoires, un dispensaire, un terrain de sports, parfois une piscine. Des autocars sont prévus pour les excursions. Tout y est gratuit : le logement, les repas, l'habillement scolaire, les livres. Le samedi matin, les internes rejoignent leurs familles respectives et rentrent le dimanche dans la soirée car ils sont tous originaires de la région où est installée leur école.

Chaque école secondaire, enfin, possède un champ d'agrumes de 500 ha que les élèves doivent exploiter eux-mêmes. Grâce à ce système, qui permet d'associer le travail intellectuel au travail manuel, les *básicas* pourront subvenir à leurs propres besoins et assurer chacune leur entretien dont le montant annuel est de 250 000.

La santé

Les résultats remarquables obtenus dans le domaine de la santé constituent avec l'enseignement la deuxième réussite de la Révolution. Alors qu'il n'y avait, voilà une vingtaine d'années, qu'une seule faculté de médecine et que des centaines de médecins prirent le chemin de l'exil pour des raisons économiques ou politiques, Cuba est aujourd'hui l'un des pays du monde qui possède le plus haut pourcentage de médecins, proportionnellement à la population. Beaucoup exercent dans les pays du Tiers Monde, et notamment en Afrique.

Outre le fait que les soins médicaux et hospitaliers sont gratuits, Cuba a réussi à éliminer un certain nombre de maladies propres au sous-développement. La poliomyélite, la diphtérie, le tétanos et le paludisme ont pratiquement disparu. En 1959, il y a eu 288 cas de poliomyélite ; depuis 1970, il y a eu un cas par an au maximum. 50 cas de tétanos mortel par an avant la Révolution, un ou deux actuellement. Plus de 13 500 cas de paludisme jusqu'en 1962 ; une douzaine au total depuis 1970, importés pour la plupart de l'extérieur. Enfin, sans oublier la tuberculose qui est tombée à 17,8 pour mille dès 1971, les diarrhées, gastro-entérites et autres affections intestinales ont connu un recul considérable.

Une des conséquences de la politique de la santé, telle qu'elle est pratiquée à Cuba, est la chute de la mortalité infantile. Elle est tombée à 27,4 pour mille, soit le taux le plus bas de toute l'Amérique latine. On estime que ce chiffre sera ramené à 21 pour mille au début des années 80. Il est de 150 pour mille en moyenne dans un pays comme le Brésil dont les progrès économiques ont pourtant été remarquables au cours des dernières années.

Le sport

Deux sports - le base-ball et la boxe - ont toujours été à l'honneur à Cuba. Mais, depuis la Révolution, les athlètes cubains ont remporté médailles sur médailles dans nombre de disciplines nouvelles.

A l'heure actuelle, Cuba est le pays d'Amérique latine et l'un des pays du Tiers Monde qui remporte le plus de trophées aux jeux olympiques ou dans les compétitions sportives. Les progrès réalisés au cours des dernières années sont comparables à ceux de l'Allemagne Démocratique.

Cuba aujourd'hui

Les arts

Le cinéma

Il n'y avait pratiquement pas de cinéma cubain avant la Révolution. Tous les films qui passaient à La Havane ou dans les villes de province étaient d'origine étrangère.

Dès mars 1959, le gouvernement décida de créer par décret un organisme, l'**Institut cubain de l'Art et de l'Industrie Cinématographique** (ICAIC), chargé d'*« enrichir et d'élargir le champ d'action des activités culturelles cubaines en y incorporant un nouveau mode d'expression artistique : le cinéma »*. L'année suivante était créée la Cinémathèque de Cuba, pour acquérir, conserver et classer tout le matériel concernant l'histoire du cinéma. Elle dispose aujourd'hui d'une salle de 1 500 places, à La Havane, dont les entrées sont gratuites, qui est une des plus importantes du monde.

Deux ans plus tard, en 1961, l'**ICAIC** faisait circuler son premier camion de cinéma ambulant dans la province de La Havane et organisait des séances publiques dans les moindres villages. A l'époque, l'itinéraire du camion n'était connu, pour des raisons de sécurité, que quelques minutes avant son départ de la capitale. Travaillant vingt-cinq jours d'affilée, suivis de cinq jours de repos, deux hommes suffisaient pour remplir cette tâche. Dans la Sierra Cristal, au Nord de Santiago, il fallut même faire transporter les films à dos de mule. Aujourd'hui, vingt ans après la création de l'ICAIC, il y a plus de 100 camions de *Cine-Movil,* pour la plupart de fabrication soviétique, qui parcourent le pays afin de faire connaître, à l'ensemble de la population, le meilleur de la production cinématographique cubaine. Et, par la même occasion, des films étrangers, notamment américains, soviétiques, français et italiens.

Dans les premières années de la Révolution, Cuba développa surtout le film documentaire. Il est évident que le gouvernement ne pouvait qu'encourager cette tendance puisqu'elle favorisait les objectifs de la Révolution. C'est ainsi que Santiago Alvarez, un des meilleurs réalisateurs de notre époque, acquit une notoriété universelle avec *« Hanoi, martes 13 »* (1967), *« Hasta la Victoria Siempre »* (1967) et *« 79 Primaveras »* (1969).

D'autres jeunes réalisateurs cubains se firent rapidement connaître, notamment José Massip, Tomas Guttierez Alea, Humberto Solas avec son film *« Lucia »* (1968), Sara Gomez, Octavio Cortazar, Oscar Valdes, Juan Padron, Melchor Casals et Bernabé Hernandez.

Influencé au départ par le néo-réalisme italien, le cinéma cubain a progressivement évolué. En utilisant la technique des juxtapositions fragmentées et extrêmement rapides, Santiago Alvarez a tenté d'adapter au cinéma les méthodes de Bertold Brecht au théâtre. Ce qui a fait dire à Jean-Luc Godard que c'était le meilleur réalisateur de documentaires du monde. Aujourd'hui, Santiago Alvarez met davantage en valeur le caractère descriptif de ses scénarios que le caractère analytique. C'est dans cet esprit qu'il a fait « *El sol no puede tapar con un dedo* » et « *Maputo : meridiano nuevo* ».

Bien que les films de long métrage commencent à faire leur apparition, les documentaires restent une des meilleures productions du cinéma cubain. On peut les classer en plusieurs catégories : d'abord, les documentaires didactiques (plus de 75 entre 1959 et 1969) sur les techniques liées à l'agriculture et à l'élevage ; ensuite, les documentaires sur la solidarité internationaliste (Vietnam, Laos, Guinée-Bissau) ; puis, les documentaires sur la guérilla en Amérique latine (Colombie et Uruguay) ; et enfin, les documentaires sur la Révolution cubaine (victoire de Playa Girón, base américaine de Guantánamo, la crise d'octobre, le cyclone Flora, la Zafra des Dix Millions, Fidel Castro, etc...).

Actuellement Cuba est l'un des quatre ou cinq pays d'Amérique latine qui peut sans crainte se présenter aux festivals internationaux du cinéma. C'est ainsi que « *La Ultima Cena* » de Tomas Gutierrez Alea, remporta, en septembre 1979, le Grand Prix du Festival du Film Ibérique et Latino-américain à Biarritz.

La littérature

Peuple de paysans, Cuba est aussi un peuple de poètes. C'est peut-être le pays d'Amérique latine qui en a le plus au km². Malheureusement les effets de l'alphabétisation et du développement économique tendent, comme dans tout pays soumis au même processus, à neutraliser la création poétique au niveau populaire. Pourtant, les troubadours continuent à se faire entendre.

José Marti lui-même, qui faisait parvenir à ses fidèles des messages enroulés dans des feuilles de tabac, écrivit son premier poème à l'âge de 15 ans dans un journal clandestin d'étudiants, *El Siboney*. Deux de ses trois livres, les seuls qu'il publia de toute son existence, furent des recueils de poèmes : « *Ismaelillo* », dédié à son fils, qui mourut, en 1945, sans avoir jamais manifesté le moindre intérêt pour l'œuvre de son père ; et « *Versos Sencillos* », édité en 1891 à New York. La plus grande partie des œuvres de Marti, aujourd'hui réunies en volumes, est constituée d'articles et de discours.

Ce n'est pas seulement la poésie populaire qui est en train de subir une mutation profonde. La Révolution a entraîné un tel bouleversement dans les mœurs que certains genres littéraires ont disparu ou se sont adaptés aux nouvelles réalités. Par contre, le roman policier, d'inspiration Nord-américaine ou française quant à sa forme, a pris un essor imprévu. La trame de ce genre de roman est généralement tissée autour des Comités de Défense de la Révolution comme si leurs militants étaient des *James Bond* révolutionnaires en quête d'aventures héroïques. Chaque année, le ministère de l'Intérieur organise un concours national.

D'autre part, les témoignages personnels, influencés par l'Ecole française, prennent une place importante dans la littérature cubaine. Citons pour exemple ceux des combattants de la Sierra Maestra ou des aviateurs qui participèrent aux combats de Playa Girón. Un ouvrage parmi d'autres a eu énormément de succès : *« Conversación con el último norte-americano »*. L'auteur a recueilli de vive voix les souvenirs du dernier Américain établi à Camagüey, depuis le XIXe siècle, au moment du triomphe de la Révolution.

Mais les deux piliers de la littérature cubaine contemporaine restent le poète **Nicolas Guillén** et le romancier **Alejo Carpentier** (mort en avril 1980). Tous deux fidèles à la Révolution, tous deux universellement connus, ils figurent parmi les chefs de file de la littérature d'expression espagnole.

Né à Camagüey, en 1902, Nicolas Guillén s'est inspiré du folklore cubain pour créer une poésie créole, métisse, originale. Lui-même descendant d'une esclave, il a, dès la dictature de Gustavo Machado, chanté l'exploitation des *macheteros* dans les champs de canne à sucre. Il est à cet égard très latino-américain dans l'expression de sa pensée. Pendant la guerre civile espagnole, en contact avec les combattants républicains, il adhéra au Parti communiste. De 1953 à 1958, il vécut en exil, notamment à Paris. De retour à La Havane, après la chute de Batista, il fut élu président de l'Union Nationale des Ecrivains de Cuba, poste qu'il occupe.

L'œuvre de Nicolas Guillén est aussi considérable que celle d'un autre poète latino-américain, tout aussi célèbre, le Chilien Pablo Neruda, mort peu après la chute du président Salvador Allende. C'est de Nicolas Guillén que vient l'expression du crocodile vert qui est généralement appliquée à Cuba, ce *« long crocodile vert, avec des yeux d'eau et de pierre »*.

De père breton, capitaine au long cours devenu architecte, et de mère russe, Alejo Carpentier naquit à La Havane en 1904. Très tôt il apprit la musique. A l'âge de dix-huit ans, il se lança dans le journalisme. En 1927, ayant signé un manifeste contre le dictateur Machado, il fut emprisonné pendant sept mois. L'année suivante, il partit pour la France où il rencontra Leiris, Artaud, Prévert, Queneau, Masson, Vitrac et Barrault. Appelé à La Havane, en 1939, il fut co-directeur de la Radiodiffusion. Mais, une fois de plus, il dut s'expatrier et s'installa à Caracas. Il rentra définitivement à Cuba dès le triomphe de la Révolution.

Conseiller culturel de son pays à Paris, pendant les dernières années de son existence, Alejo Carpentier parlait parfaitement le français. De culture classique et européenne, il sut néanmoins donner à ses romans une atmosphère baroque typiquement latino-américaine. Les paysages qu'il décrit, ses personnages, ses récits appartiennent au Nouveau Monde et nous donnent une vision par certains côtés ésotérique de l'atmosphère qui y règne. *« Notre histoire est émaillée d'épisodes tragi-comiques incroyables,* a raconté un jour Carpentier à « La Quinzaine Littéraire ». *En 1920, à La Havane, éclate une révolution pendant que le pouvoir assiste au deuxième acte d'« Aïda », de Verdi... J'avais seize ans, et je m'en souviens. Le chanteur Caruso s'évade dans la rue, habillé en Egyptien, avec une robe... Eh bien, il fut arrêté pour outrage aux mœurs... »* Cette petite anecdote illustre la fascination de Carpentier, un des plus grands romanciers de notre époque, pour le burlesque.

Ses ouvrages les plus connus sont *« Le Royaume de ce monde »,* *« Le Partage des eaux »,* « *Chasse à l'homme »,* « *Guerre du Temps »,* « *Le Siècle des Lumières »* et « *Recours de la Méthode ».* De ce dernier roman, le metteur en scène chilien Miguel Littin a fait une co-production franco-cubano-mexicaine, *« Viva el Presidente ».*

Cuba joue aujourd'hui un rôle important dans la littérature latino-américaine. Créée au lendemain de la Révolution, la **Casa de las Américas** attribue chaque année des prix aux meilleurs écrivains et poètes du continent. Roberto Fernandez Retamar, qui en est le directeur, est né à La Havane en 1930. Ancien étudiant de peinture et d'architecture, il a fait des études à Paris et à Londres. Professeur à l'Université de Yale, diplomate, éditeur, traducteur, poète et essayiste, il est un des intellectuels les plus représentatifs de la littérature contemporaine de son pays. *« Ici on ne demande pas aux intellectuels d'être obligatoirement militants de la Révolution,* dit-il, *on accepte qu'ils soient neutres. Mais ceux qui veulent mettre leur plume au service de la réaction n'ont pas de place parmi nous. »*

En 1968, un poète cubain, Heberto Padilla, qui avait remporté le Prix National de Poésie, fut violemment pris à partie par la revue *Verde Olivo,* des forces armées. Sous prétexte qu'il avait eu des agissements « anti-révolutionnaires », il fut contraint de faire son autocritique. L'affaire fit grand bruit à l'époque dans les milieux intellectuels européens et latino-américains.

La politique culturelle du gouvernement a éveillé, en tout cas, une soif de lecture exceptionnelle chez les Cubains. Rien que pour la seule année 1974, l'Institut du Livre édita près de 34 millions de livres et brochures. C'est un effort remarquable si l'on songe que les livres scolaires sont entièrement gratuits dans le primaire et le secondaire. De son côté, la Casa de las Américas édite une quarantaine d'ouvrages par an sur l'Amérique latine. Le mouvement d'édition a pris une telle

ampleur à Cuba qu'une imprimerie moderne, installée à Guantanamo, éditera bientôt plus de 20 millions de livres par an. A peine
parus, les ouvrages de quelque nature que ce soit sont épuisés en
quelques jours. Le voyageur étranger risque donc d'avoir le plus
grand mal à acheter les ouvrages qui l'intéressent.

La musique classique

Amadeo Roldán et Alejandro Garcia Caturla furent les deux plus
grands noms de la musique symphonique cubaine dans la première
moitié du XXᵉ siècle. Jusqu'en 1959, il n'y eut à Cuba qu'un seul
conservatoire. Depuis, la seule ville de La Havane a vu la création
d'une Ecole Nationale de Musique et de trois conservatoires. En
outre, elle s'énorgueillit d'être le siège de l'Orchestre Symphonique
National (80 musiciens).

En province, des écoles de musique ont été créées à Santa Clara,
Cienfuegos, Matanzas, Camagüey, Pinar del Rio, Holguín, Bayamo et
Guantánamo. Santiago a un conservatoire qui porte le nom d'un
musicien du XVIIIᵉ siècle, Estaban Salas.

Grâce aux efforts entrepris au cours des dernières années, la
connaissance de la musique classique et moderne s'est considérablement développée. C'est ainsi qu'un jeune pianiste, Silvio Rodriguez
Cardenas, a remporté dernièrement plusieurs grands prix internationaux.

Le ballet

Créé en 1959, le Ballet National de Cuba que dirige la danseuse
étoile Alicia Alonso a atteint en quelques années la notoriété
universelle. Fusion de l'école russe et de l'école américaine, cette
troupe de ballet est aujourd'hui une des meilleures d'Amérique latine.
Depuis la Révolution, d'autres compagnies ont fait leur apparition :
l'Ecole Nationale de Ballet, l'Ensemble de Danse Moderne, l'Ensemble Expérimental de Danse et l'Ensemble Folklorique National.
Toutes ont leur siège à La Havane.

En province, c'est la ville de Camagüey qui a la meilleure troupe de
ballet, après celle du Ballet National de Cuba. Créé en 1967 par
Vicentina de la Torre, une ancienne élève d'Alicia Alonso, le Ballet de
Camagüey compte aujourd'hui près de 70 danseurs et danseuses qui
ont en moyenne 22 ans. Il est installé dans une maison blanche aux
balcons en bois mais l'école proprement dite fonctionne dans
l'ancienne caserne de cavalerie de la ville. « *Arabesque aqui,
arabesque a la primera, balancé de lado, tombé...*» Trois professeurs
enseignent aux jeunes élèves les secrets de la danse classique.

Le théâtre

A quelques rares exceptions, le théâtre ne fut jamais florissant à Cuba. C'était surtout des troupes espagnoles qui tenaient le haut du pavé. Le seul théâtre vraiment cubain de qualité fut l'*Alhambra*, à La Havane, mais il disparut peu après 1933. Dans les années quarante, de nouvelles tentatives eurent lieu. Malheureusement elles n'eurent pas grand succès dans les milieux populaires.

Depuis la Révolution, un certain nombre de compagnies théâtrales ont fait leur apparition, notamment à La Havane et dans les grandes villes. En outre, il existe déjà plus de 400 troupes d'amateurs. José Triana, Virgilio Pinera et Hector Quitero sont à l'heure actuelle les metteurs en scène les plus connus à l'étranger. Ils ont essayé de cubaniser la tragédie grecque pour créer un théâtre national moderne.

Les arts plastiques

Jusqu'au début du XXe siècle, les artistes plasticiens cubains puisèrent l'essentiel de leur inspiration dans les manuels en provenance de Rome ou de Madrid. Leur peinture était académique.

Dans les années vingt, certains d'entre eux se rendirent à Paris où ils firent la découverte de l'art moderne. A leur retour, influencés par l'expérience qu'ils avaient vécue à Montparnasse, ils se mirent à peindre les maisons coloniales au style baroque, la sensualité des femmes cubaines, la sérénité du paysage tropical. A l'époque, ce fut une révolution.

En mai 1927, une revue de création récente, *Revista de Avance*, organisa à La Havane la première exposition de l'Art nouveau. Elle eut une importance considérable dans l'évolution de la peinture cubaine contemporaine. Cuba commença à vivre ce que Juan Marinello, éminente personnalité de ce temps, appela la *décade critique*, entre 1920 et 1930. Les pionniers de cette première génération de peintres furent Victor Manuel, Eduardo Abela, Amelia Peláez, Marcelo Pogolotti et Carlos Enriquez. Ils assimilèrent les expériences européennes (post-impressionnisme, cubisme, fauvisme et surréalisme) pour enraciner les arts plastiques dans la réalité cubaine. C'est à ce groupe qu'appartient Wifredo Lam, graveur célèbre, qui vit, depuis, en Europe.

Plus tard, avec la Révolution, d'autres artistes plastiques ont fait leur apparition à Cuba. A cet égard, le congrès de la Culture, qui eut lieu en 1968 à La Havane, révéla au monde entier la richesse et la liberté de création des peintres cubains. Contrairement à l'U.R.S.S. et à l'Allemagne de l'Est, qui ont imposé des règles rigides aux peintres contemporains, dans le cadre du réalisme socialiste, Cuba, de culture latine et africaine, a préféré laisser s'exprimer les différents courants artistiques issus de la Révolution.

Il serait fastidieux de citer tous les peintres cubains les plus importants. Un des plus grands est certainement Wifredo Lam, de renommée internationale. Il nous révèle dans ses œuvres un monde fantastique où des êtres dénués de tout volume peuplent un espace irrél. Né en 1902, à Sagua La Grande, dans la province de Villa Clara, il fit sa première exposition, en 1928, à Madrid. Trois de ses œuvres sont particulièrement connues : « Maternité », « Abstraction » et « La chaise ».

Né à La Havane, en 1912, René Portocarrero est un artiste complètement différent. Il s'est rendu célèbre par ses tableaux chaleureux, colorés, débordants de vitalité, de la capitale cubaine. Ses maisons coloniales ont toujours leurs portes et leurs fenêtres ouvertes sur le monde extérieur. « La cathédrale » (1956) est une de ses œuvres les plus représentatives.

Mort en 1965, Eduardo Abela se fit surtout connaître par ses caricatures politiques, sous la dictature de Machado, puis par ses tableaux de guajiros, les paysans cubains, vêtus de la guayabera amidonnée et coiffés du traditionnel sombrero de jipi. On peut voir au Musée National de La Havane quelques-uns de ses tableaux : « Le coq mystique », « Le triomphe de la rumba » et « La vache et le coq ».

Amelia Peláez, née à Yaguajay, en 1896, dans la province de Sancti Spiritus, fit sa première exposition à l'âge de 28 ans. Elève du peintre russe Alexandre Exter, elle étudia à Paris (La Grande Chaumière) et à New York. Elle a exercé tout au long de son existence un rôle considérable parmi les peintres contemporains de Cuba. Certains de ses tableaux, comme « Les deux sœurs » et « Nature morte avec un ananas », se trouvent au Musée National de La Havane.

Mariano Rodríguez, né en 1912, Jorge Arche (1905-1956), Luis Martínez Pedro, Servando Cabrera Moreno, Raúl Martínez, Fayad Jamís, Angel Acosta León (1930-1964), Antonia Eiriz, Nelson Domínguez, Pedro Pablo Oliva et Aristides Fernandez sont quelques-uns des artistes cubains contemporains les plus connus.

Traditions populaires

La musique

Fortement marquée par les rythmes d'origine africaine, la musique cubaine est, depuis longtemps, connue dans le monde entier. Les amateurs la distinguent aisément des autres musiques d'Amérique latine. Le **danzón,** la **rumba,** le **son,** la **conga,** le **cha-cha-cha,** le **mozambique,** la **cucaracha** sont quelques-unes des danses les plus populaires.

58 A La Havane, comme dans toutes les villes de province, des

orchestres endiablés animent les soirées. Trompettes et tambourins, guayos et saxophones, guitares et batteries entraînent sur la piste des fidèles enthousiastes. Aucune commune mesure avec l'atmosphère des discothèques en Europe : à Cuba, comme dans toutes les Caraïbes, la danse est une véritable passion, un culte auquel nul ne peut résister. On ne danse pas pour remplir une obligation sociale ni pour se donner l'air d'être à la mode, en faisant quelques figures conventionnelles. On danse pour le plaisir de se livrer totalement au rythme. La femme est alors la reine.

Créé en 1973, l'ensemble *Irakere* est aujourd'hui un des meilleurs orchestres de Cuba. Lors de sa première présentation au Carnegie Hall de New York, en juin 1978, il reçut un accueil triomphal. Le public se mit debout pour l'applaudir. Dirigé par Chucho Valdés, qui tient le piano, le groupe comprend onze musiciens dont Paquito Rivera, un des quatre meilleurs saxos du monde. Pour son lyrisme et l'élégance de son style, Chucho Valdés lui-même est souvent comparé à Duke Ellington. L'ensemble utilise les instruments traditionnels de la musique cubaine, en y ajoutant deux instruments des **santerías** : le *batá* et le *chekeré*. Les plus grands succès de cet orchestre sont « *Misa negra* », « *Bacalao con pan* », « *Xiomara* », « *Iya* », « *Juana milseiscientos* » et « *La verdad* ».

La santería

Comme dans toutes les Caraïbes et une grande partie de l'Amérique du Sud, les esclaves africains importés de force à Cuba surent garder leur identité en cultivant les rites ancestraux. Mais, pour échapper à la persécution de leurs maîtres et seigneurs, qui voulaient les convertir au christianisme, ils mêlèrent habilement dans leurs cérémonies les saints africains aux saints catholiques. C'est ainsi qu'apparut au fil des ans une religion hybride, la *santería*. A quelques variantes près, elle correspond au *vaudou* haïtien et à la *macumba* brésilienne.

Grâce à la *santería*, les Noirs ne préservèrent pas seulement l'essentiel de leurs croyances. Ils purent sauvegarder également leurs danses, leurs rythmes, leurs chants et, pendant longtemps, leurs langues ou leurs dialectes. La *santería* avait pris une telle importance, avant la Révolution de 1959, qu'elle avait de plus en plus d'adeptes dans toutes les couches de la société, y compris chez les Blancs. Aujourd'hui, elle tend à disparaître, dans ses manifestations purement religieuses, pour devenir une expression du folklore national. Mais ses racines sont trop profondes, dans l'âme populaire, pour que le marxisme puisse les extraire totalement. Dans les provinces de La Havane et Matanzas, en particulier, elle est encore pratiquée par nombre de fidèles.

Les éléments africains de la *santería* proviennent des différents groupes ethniques auxquels appartenaient les esclaves : lucumís, yorubas, carabalís, congos, ararás et abakuas. Ceux-ci croyaient aux démons anthropomorphes, êtres imaginaires ayant les mêmes sentiments et les mêmes réactions que les hommes. Quant aux éléments chrétiens de la *santería,* leur présence s'explique parfaitement si l'on n'oublie pas que le catholicisme espagnol s'est toujours caractérisé par le culte excessif des saints auxquels sont attribués quantité de miracles.

Enfin, le spiritisme, qui constitue la troisième composante de la *santería,* a vraisemblablement des origines africaines. Mélange de rêve et de réalité, de fantaisie et de sexualité, née du syncrétisme d'éléments africains, hispano-catholiques et spirites, la religion des esclaves noirs transplantés à Cuba a de ce fait des rites extrêmement compliqués.

Le prêtre le plus important de la *santería* est le *babalao.* A la veille de la Révolution, il y en avait trois cents environ à Cuba. Il est assisté de *babalochas* (hommes) et de *iyalochas* (femmes) auxquels sont versés des honoraires en récompense de leurs services. La langue qu'ils utilisent dans les cérémonies religieuses est généralement le *lucumí* ou *yoruba.* Quant aux instruments de musique, les plus fréquents sont le tambour et les *hierros* (instruments de percussion).

Chaque cérémonie est dirigée par un *babalocha* et une *iyalocha.* Dans une atmosphère d'encens et de cigares, les fidèles invoquent les divinités par des cris, des chants ou des danses. Ils leur offrent des fleurs et sacrifient des poulets pour apaiser leur courroux. Certains entrent en état de transe lorsqu'ils reçoivent l'esprit qu'ils doivent incarner. Les non-initiés auront du mal à comprendre la valeur de chaque geste.

Il faut néanmoins savoir que la *santería* a pour objet le culte d'une vingtaine de saints, ou *orishas.* Ce sont, en fait, des démons d'origine africaine. Ils ont une personnalité à plusieurs facettes et peuvent se manifester de manières très diverses, soit lors de l'initiation d'un *santero,* c'est-à-dire d'un officiant, de la consécration d'un prêtre ou à tout autre moment. Celui qui est intronisé sait à partir de quel signe tel ou tel *orisha* devient son patron. Chaque *orisha* correspond à un seul ou plusieurs saints catholiques.

Dieu s'appelle **Olofí.** Il créa le monde qu'il peupla uniquement d'*orishas.* Plus tard, Olofí délégua une partie de ses pouvoirs aux *orishas,* en les chargeant d'intervenir dans le destin des hommes. C'est ce qui explique que les fidèles l'invoquent très rarement.

Quels sont les *orishas* les plus souvent mentionnés dans la *santería* ?

Il y a d'abord **Ochún** qui correspond à la Vierge de la Charité du Cuivre *(Virgen de la Caridad del Cobre)*, patronne de Cuba. Mulâtresse sensuelle, maîtresse des fleuves, de l'or et de l'amour, sa couleur symbolique est le jaune. Lorsqu'elle était vierge, elle aimait danser avec volupté, entièrement nue. Parfois elle couvrait son corps de miel car il était aphrodisiaque. Un jour, sa mère décida de la marier à celui qui devinerait son nom au cours d'une cérémonie publique. Un jeune homme, **Elegua,** qui s'était caché près de leur maison, entendit la mère d'Ochún l'appeler par son nom. Il vendit son renseignement à un *orisha,* le vieil Orula, qui remporta ainsi le concours et posséda Ochún.

Orula, l'équivalent de Saint François d'Assise, est le devin par excellence, maître du célèbre *tablero de Ifá* et de l'*okuele,* collier qui permet de prédire l'avenir. Sa vie en commun avec Ochún est pleine de péripéties. La voluptueuse mulâtresse ne se sent pas sexuellement satisfaite et vend son corps, de temps à autre, pour assouvir ses passions. De ses amours avec **Chango,** un autre *orisha* qui, malgré son sexe, correspond à Sainte Barbara, naquirent des jumeaux (Saint Cosme et Damien).

Guerrier avant tout, porté sur les femmes, obsédé par l'argent, Chango finit par devenir vieux. Ochún, qui possédait sept robes lorsqu'elle connut son amant, n'en a plus qu'une seule qui jaunit avec le temps. Insatiable, elle trompe Chango et s'accouple à **Ogún,** un autre guerrier terrible. Maître du fer et des montagnes, cet *orisha* est identifié à Saint Pierre. Il est tellement fier et agressif que lorsqu'il prend possession d'un fidèle il peut lui offrir une hachette en bois qu'il a pour habitude de brandir d'une manière sinistre.

Yemaya est un autre personnage important de la *santería.* On l'identifie à la Virgen de Regla, patronne de la baie de La Havane. On l'appelle aussi la Vierge Noire. Elle doit sa couleur, dit-on, à un pèlerinage au cours duquel elle traversa la mer. Reine de l'eau salée et, dans une certaine mesure, du monde, elle donna origine à la vie humaine, en exigeant pour ce faire que les poissons servissent d'aliment aux hommes en échange de quoi ceux-ci lui seraient remis pour la satisfaire. Comme elle a fendu les eaux de la mer et qu'elle a donné la vie aux êtres humains, toute fidèle dont elle prend possession au cours d'une cérémonie danse en balançant sa robe de chaque côté comme si elle ouvrait quelque chose. Un de ses *caminos,* c'est-à-dire un de ses moyens d'expression, est l'horrible **Olokun,** maître des profondeurs, qu'on ne peut voir sans mourir.

Malgré les milliers de kilomètres qui séparent Cuba d'un pays comme le Brésil, les descendants des anciens esclaves africains ont donné à leurs divinités les mêmes noms. Ils leur ont accordé les mêmes pouvoirs. Et, surtout, ils ont assimilé de la même manière le catholicisme. Il n'est donc pas faux de dire que la *santería* est une manifestation authentique des traditions séculaires de la communauté afro-américaine dans le Nouveau Monde. Ce n'est pas une religion fétichiste. La *santería* pratique, en fait, le culte des idoles en y mêlant toutes les traditions musicales d'un lointain passé.

Dans un magnifique poème, « *El son entero* », Nicolas Guillén a su traduire en vers le rythme et la beauté de ces cérémonies afro-cubaines. En voici le début :

« Yoruba soy, lloro en yoruba
lucumí.
Como soy un yoruba de Cuba,
quiero que hasta Cuba suba mi llanto yoruba ;
que suba el alegre llanto yoruba
que sale de mí.

Yoruba soy,
cantando voy,
llorando estoy,
y cuando no soy yoruba,
soy congo, mandinga, carabalí.
Atiendan, amigos, mi son, que empieza así :
Adivinanza
de la esperanza :
lo mío es tuyo,
lo tuyo es mío ;
toda la sangre
formando un río (...) »

Les pirates

Dès le XVIe siècle, l'archipel cubain attira les pirates et corsaires de tous bords qui infestaient la mer des Caraïbes. D'abord, parce que les galions chargés d'or, de bois et de pierres précieuses y faisaient pour la plupart escale, avant d'entreprendre le long voyage du retour vers l'Espagne. Ensuite, parce que les criques, les grottes et les îles innombrables, échelonnées le long du littoral, leur servaient de refuge naturel.

Pour se protéger, les Espagnols firent construire une série de forteresses, les *castillos,* qui furent pendant longtemps l'un des meilleurs systèmes de défense de leur empire colonial. L'une des toutes premières, le Castillo del Morro, à La Havane (voir le chapitre consacré à la capitale cubaine) fut bâtie à partir de 1586, sur ordre du roi Felipe II, qu'alarmaient les récits des incursions du corsaire Francis Drake dans les Caraïbes.

Pendant trois siècles, et même davantage si l'on en croit les récits de l'explorateur allemand Alexander de Humboldt, au début du

XIXe siècle, l'archipel cubain vécut sous la menace permanente de ces aventuriers. Les corsaires agissaient à la demande des gouvernements européens tandis que les pirates pillaient pour leur compte les navires de commerce. Les boucaniers (un des rares mots d'origine *tupi* de la langue française) chassaient les bœufs sauvages pour en boucaner la viande. Et les flibustiers (mot d'origine hollandaise) écumaient les côtes pour dévaster les possessions espagnoles. Leurs activités mirent en péril le commerce dans cette partie du monde.

Persécutés dans leur pays, les huguenots français, sous la direction de l'amiral de Coligny, tentèrent de fonder des colonies dans le Nouveau Monde, afin de demeurer fidèles à leur foi sans renoncer à leur nationalité. Ils furent en quelque sorte les premiers corsaires de l'époque. C'est ainsi que le plus célèbre d'entre eux, Jacques Sores, occupa Santiago de Cuba pendant un mois en 1554. En juillet de l'année suivante, à la tête de deux cents hommes, il débarqua à La Havane mais, obligé de partir trois semaines plus tard, il brûla les maisons en bois couvertes de feuilles de palmier.

A la fin du XVIe siècle, des pirates de toutes nationalités, originaires pour la plupart des pays ennemis de l'Espagne, formèrent une association, celle des **Frères de la Côte**. Ils s'en donnèrent à cœur joie, pillant et rançonnant les navires de commerce, faisant de brèves incursions à l'intérieur des terres.

En 1628, un corsaire hollandais, Pieter Hayn, poursuivit des galions espagnols qui se dirigeaient vers La Havane. Il leur coupa la route et les força à se réfugier dans la baie de Matanzas où il parvint à les maîtriser. Hayn fut reçu en triomphe aux Pays-Bas. Trente-quatre ans plus tard, en 1662, ce fut un Anglais qui pilla Santiago de Cuba, détruisant en partie la ville et ses fortifications. Un autre Français, Nau, mit à sac Remedios, en 1665, sur la côte Nord. Un groupe de corsaires s'enfonça à l'intérieur du pays et occupa même la localité de Sancti Spiritus qui fut complètement mise à sac. Bouillant successeur de Francis Drake, autre flibustier célèbre de l'époque, Henry Morgan débarqua à Cuba, en 1668, et avança avec ses hommes jusqu'à Camagüey. Il en repartit en emportant 500 bœufs et l'équivalent de 50 000 pesos en or et en argent.

Vers la fin du XVIIe siècle, plus de deux cents propriétés rurales avaient été complètement ruinées à Cuba et étaient devenues inhabitables par suite des incursions des pirates. De plus en plus audacieux, ceux-ci avaient fait de l'île des Pins une des bases principales de leurs activités dans la mer des Caraïbes. Elles donnèrent lieu à des légendes plus ou moins véridiques qui ont enrichi la littérature universelle.

Le rhum

Vous boirez à Cuba un des meilleurs rhums du monde. Pays producteur de canne à sucre, Cuba a dans ce domaine une tradition vieille de quatre siècles. Et ses exportations sont aujourd'hui considérables.

Aussi, avant de connaître toutes les variétés de cocktails faites à base de rhum, de liqueurs et de jus de fruits, il est indispensable que vous sachiez quelles sont les différentes variétés de rhum cubain.

Aguardiente. Eau-de-vie traditionnelle des paysans et des coupeurs de canne à sucre, elle se boit fraiche. C'est un alcool distillé à 45°.

Añejo. Vieilli en barrils, ce rhum est légèrement foncé et a la teinte du *xérès* espagnol. Les connaisseurs le boivent avec de la glace et de l'eau gazeuse, *a la roca*, c'est-à-dire sec en y mêlant quelques glaçons, ou tel quel après les repas. Dans ce dernier cas, il remplace le cognac.

Carta blanca. Idéal pour les cocktails, ce rhum est clair et sec. C'est probablement celui dont les Cubains font la plus grande consommation.

Carta oro. De couleur ambre, avec de légères tonalités dorées, ce rhum a un bouquet délicat.

Extra-seco. Légèrement doré, ce rhum est peu courant car la production en est limitée.

Cuba a de nombreuses marques de rhum, mais la principale est le *Habana Club*. On reconnaît la bouteille à son étiquette dorée et à sa marque de fabrication, la statue de la Giraldilla, symbole de La Havane.

Si vous voulez connaître une des plus grandes fabriques de rhum du monde (30 millions de litres par an), demandez à visiter celle de Santa Cruz, à 50 km de La Havane.

Les boissons alcoolisées

Caña. Verre de rhum blanc.

Cuba libre. Boisson rafraîchissante, très populaire en Amérique latine. On l'appelle parfois Fidel Castro. Rhum *Carta Blanca*, « coca-cola », rondelles de citron vert, glaçons.

Daiquiri. Ce cocktail porte le nom d'un village, au Sud-Est de Santiago. Rhum *Carta Blanca*, jus de citron vert, sucre en poudre, glace pilée.

España en llamas. L'Espagne en flammes est un mélange de cognac et de cidre.

Habana club. Rhum blanc, sirop de grenadine, jus de citron vert, glace pilée.

Isla de Pinos. Très populaire dans l'île des Pins et à l'Est de Cuba, cette boisson est un mélange de bière et de jus de tomate.

Mojito. Rhum *Carta Blanca*, jus de citron cert, bitter, eau gazeuse, feuilles de menthe, glaçons.

Mulata. Le cocktail de la mulâtresse est un mélange de vieux rhum ambré, de rhum blanc, de jus de citron vert, de sucre en poudre et de glace pilée.

Nacional. Rhum blanc ou ambré, jus de pamplemousse, liqueur d'abricot, glace pilée.

Piñerito. Rhum, jus de pamplemousse.

Presidente. Rhum *Carta Oro*, vermouth sec, vieux rhum, curaçao, jus de citron vert, grenadine.

Príncipe Roncoli. Rhum ambré, *Grand Marnier*, jus de citron vert, zeste de citron, glace pilée.

Rón collins. Rhum blanc, jus de citron vert, sucre en poudre, eau gazeuse.

Rón a la roca. Rhum sec et glaçons.

Les plats cubains

Ajiaco. Plat d'origine africaine. Viande séchée et racines.

Arroz a la cubana. Riz à la cubaine. Riz, bœuf haché, oignon, œufs, bananes, chapelure, beurre, huile, sel et poivre.

Arroz con pollo. Poulet au riz. Poulet découpé en petits morceaux, riz, petits pois, tomates, jambon, olives farcies aux piments, poivron vert, bouillon de volaille, ail, oignon, câpres, gruyère râpé, origan, sel et poivre.

Chatines. Plat originaire du Congo. Bananes frites préparées de manière originale.

Congrí. Mélange de riz et de haricots noirs cuits ensemble. Plat très populaire.

Coquimol. Entremets à la noix de coco. Crème fraîche, noix de coco, sucre, vanille, jaunes d'œuf, liqueur de rhum.

Fufú. Plat d'origine africaine. Bananes frites, graines et herbes aromatiques.

Langosta enchilada. La langouste épicée est une des innombrables manières de préparer la langouste à Cuba. Vin blanc sec, langouste, sauce tomate épicée, huile, piment rouge, sel.

Moros y cristianos. Riz aux haricots noirs. C'est un plat très populaire à Cuba, au Venezuela et au Brésil où il porte des noms différents. Riz, haricots noirs, lard salé, oignon, poivron, ail, sel, poivre, huile.

Picadillo criolla. Hachis à la créole. Bœuf découpé en petits dés, tomates, piments rouges, œufs, oignon, beurre, olives vertes, xérès.

Plátanos en tentación. Peut être servi avec la viande et le riz ou comme dessert. Bananes frites, beurre, sucre en poudre, cannelle, vin rouge de préférence.

Pollo con salsa criolla. Poulet à la sauce créole. Poulet, épis de maïs cuits, tomates, oignon, huile, sel, poivre.

Ropa vieja. Ce plat cubain porte le curieux nom de « vieilles nippes ». Bœuf, oignon, poivron vert, piments rouges, carottes en rondelles, tomates, poivrons rouges, câpres, cannelle, ail, clous de girofle, safran, laurier, huile, sel et poivre.

Sopa de camarones. Soupe de crevettes très populaire à Cuba. Crevettes décortiquées, oignons hachés, beurre, clous de girofle, tomates, laurier, pommes de terre en morceaux, lait, crème fraîche, maïs en grains.

Cuba de A à Z

Achats

Il n'y a pas grand-chose à acheter à Cuba. En dehors de quelques objets et bibelots de l'artisanat cubain, de qualité discutable, vous trouverez surtout des livres et des disques dont les prix sont modérés. Pour le rhum, les cigarettes et les cigares, adressez-vous de préférence aux magasins hors taxe dans les hôtels ou au village de vacances de Jibacoa, à une soixantaine de kilomètres à l'Est de La Havane.

Adresses

Les Cubains ont pour habitude de dire, en donnant une adresse : entre telle et telle rue ou à l'angle de telle et telle rue. Eventuellement, ils donnent le nom de l'immeuble mais rarement le numéro.

Air conditionné

La plupart des hôtels et des restaurants de luxe de Cuba disposent de l'air conditionné. Mais méfiez-vous : dans certains bars vous aurez froid. Mettez une chemise à manches longues ou prenez avec vous un tricot léger.

Arroba

Mesure employée pour le sucre : 1 000 *arrobas* font 11,5 tonnes.

Autobus

A Cuba, on les appelle des *guagua*. (Pron. : *goua-goua*). Les horaires sont fantaisistes. Impossible de vous renseigner à l'hôtel. Voyez au terminus.

Auto-stop

Très rares sont les étrangers qui se hasardent à utiliser ce mode de transport. Mais les Cubains n'hésitent pas à le pratiquer. Et, si vous suivez leur exemple, vous serez ravis : les automobilistes feront éventuellement un long détour pour vous rendre service. Cela fait partie des rites de l'hospitalité.

Avions

Vous pourrez vous rendre par avion dans les villes principales de Cuba *(Camagüey, Cienfuegos, Guantánamo, Holguín, Moa, Santa* **69**

Clara, Santiago, Las Tunas) et à l'île des Pins. De Santiago, vous aurez la possibilité de rejoindre en 20 mn plusieurs localités de l'intérieur. En ce qui concerne les lignes internationales, La Havane est désormais reliée à Madrid, Francfort, Prague, Lisbonne, Berlin-Est et Moscou, en Europe, ainsi qu'à diverses capitales d'Amérique latine et des Caraïbes.

Barbudos

Nom donné aux combattants révolutionnaires de la Sierra Maestra. Les *barbus*, autrement dit les *poilus*.

Barracuda

Poisson des mers tropicales plus dangereux que les requins.

Base-ball

C'est le sport le plus populaire de Cuba *(la pelota)*. Ne manquez pas d'assister à un match de base-ball si vous en avez le temps. Les Cubains ont remporté à plusieurs reprises le titre de champions du monde sur les Américains et les Japonais.

Bateaux

N'essayez pas de regagner l'Europe en bateau. Il n'y en a pratiquement pas. Mais, prochainement, des croisières dans la mer des Caraïbes incluront des escales à La Havane. Vous pourrez, en tout cas, vous rendre à l'île des Pins en empruntant un hydroglisseur de fabrication soviétique.

Bohio

Nom d'origine indienne donné aux maisons des paysans : toits en feuilles de palmiers.

Boissons

En dehors des jus de fruits, vous boirez surtout de la bière et du rhum. N'hésitez pas à connaître les cocktails cubains comme le *daiquirí*, le *mojito* et la *mulata*. Le vin, qui est importé, est très cher.

Budget

Prévoir une moyenne de 500 dollars pour dix jours : hôtel et restaurant.

Bureaux

Les ministères ouvrent généralement très tôt. Mais, comme les horaires de bureaux sont souvent aléatoires, renseignez-vous avant de quitter l'hôtel.

Caballerias

Habituez-vous à compter en *caballerias* et non pas en hectares. C'est une vieille mesure cubaine qui est toujours en vigueur. Une *caballeria* équivaut sensiblement à 13,5 ha.

Cabarets

Le plus célèbre à Cuba, et dans les Caraïbes, est le *Tropicana*, à La Havane. Vous trouverez des cabarets dans la plupart des grands hôtels de la capitale et à Varadero. Ils restent ouverts jusqu'à 2 h du matin en semaine. Le samedi, ils ferment à 4 h. L'ambiance y est souvent familiale : les parents assistent au spectacle avec leurs enfants. Pas d'entraîneuses.

Cadeaux

Si vous voulez faire plaisir, au hasard de vos rencontres, emportez avec vous du chewing-gum, des stylos à bille, des pièces de monnaie, des bas en nylon, des savonnettes, des pellicules pour appareil photo et autres menus cadeaux d'un intérêt pratique.

Cartes de crédit

American Express et Diners Club sont acceptées.

Charters

Il existe des vols charters pour Cuba au départ de Paris et Luxembourg. Il y en a également à partir du Canada. Depuis janvier 1978, enfin, des vols charters sont assurés entre plusieurs villes des Etats-Unis et La Havane. Renseignez-vous auprès de Delta Voyages, 54, rue des Ecoles, 75005 Paris - Tél. 634.21.17 - Telex 204 860 F.

Cigares

Vous ne trouverez pas une très grande variété de cigares *(tabacos)* dans les hôtels et bureaux de tabac. Mais ils sont toujours frais et de bonne qualité. Faites de préférence votre approvisionnement dans les magasins « hors taxe », surtout si vous êtes un vitophile, c'est-à-dire un collectionneur de bagues de cigares. Vous les paierez beaucoup moins cher qu'en Europe. Les cigares les plus réputés sont les *Bolivar, H. Ulmann, La Corona, Montecristo, Romeo y Julieta, Partagas* et *Porlarañaga.*

Climat

D'un bout à l'autre de l'année, la température oscille entre 22 et *71*

27°C. Elle peut tomber exceptionnellement à 12°C. Dans certaines régions de la Sierra Maestra, vous pourrez voir quelques gelées blanches mais jamais de neige. L'année se divise en deux périodes : la saison sèche, de novembre à avril, et la saison des pluies, de mai à octobre. Attention aux typhons.

Danses

Cuba est le paradis de la danse : *cha-cha-cha, conga, danzón, mozambique, rumba, son,* etc... Laissez-vous entraîner par le rythme.

Devises

Déclarez le montant de vos devises, sur un formulaire spécial, dès votre arrivée à Cuba. N'essayez surtout pas de les vendre au noir car vous risquez d'avoir de gros ennuis. Tous les pesos cubains que vous n'aurez pas dépensés vous seront reconvertis en dollars, sur présentation du passeport, par la banque de l'aéroport d'embarquement. Vous pouvez échanger aisément des francs français. Mais si vous poursuivez votre voyage en Amérique latine, emportez de préférence des dollars.

Douane

On ne fouille pas systématiquement les bagages des touristes étrangers. Mais n'oubliez pas qu'il est interdit d'introduire à Cuba de la viande, des légumes, du fromage et des fruits. Vous avez le droit d'importer deux bouteilles de vin ou d'alcool par personne, une cartouche de cigarettes et 25 cigares. Déclarez vos objets personnels tels que machine à écrire, appareil photo, caméra, magnétophone, raquettes de tennis, attirail et fusil de pêche. Vous pourrez repartir de Cuba avec plusieurs boîtes de cigares et plusieurs litres de rhum, mais vous serez tenus d'acquitter des droits d'entrée à votre retour en France.

Electricité

Si vous emportez rasoir et séchoir électriques, n'oubliez pas que les prises cubaines sont conformes aux normes américaines, c'est-à-dire différentes des françaises : 100 volts, 60 cycles.

Excursions

Si vous n'avez pas prévu d'excursions, avant votre arrivée à Cuba, vous pourrez vous inscrire sur place dans l'agence de tourisme cubaine. Ne vous étonnez pas néanmoins si vous avez des difficultés de réservation pour les lieux ou les dates de votre choix.

Fêtes chômées

Elles sont au nombre de six chaque année : 1er janvier *(Libération),*

2 janvier *(Victoire des forces armées)*, 1ᵉʳ mai *(Travail)*, 26 juillet *(Révolution)*, 7 décembre *(Deuil)* et 25 décembre *(Noël)*.

Fuseau horaire

La différence entre la France et Cuba est de 6 h. Lorsqu'il est midi à La Havane, il est 6 h de l'après-midi à Paris (17 h GMT).

Fruits

Vous trouverez quantité de fruits tropicaux à Cuba. Retenez quelques noms en espagnol : *añón, coco, guayabita, mamey, mango, papaya* et *plátano*. Vous trouverez également les fruits des pays tempérés sauf la framboise, le cassis et la cerise.

Guagua

C'est le nom que donnent les Cubains à leurs autobus. Les tarifs sont peu élevés.

Guajira

Mélodie typiquement cubaine. La plus célèbre est *« Guajira Guantanamera »*.

Guyabera

Chemise en tissu léger que l'on porte par-dessus le pantalon.

Gusano

Littéralement « un ver de terre ». Les castristes appliquent ce sobriquet méprisant aux contre-révolutionnaires cubains.

Homosexuels

Les autorités cubaines ne les apprécient guère.

Hôtels

Vous pouvez débarquer à La Havane sans avoir fait de réservations. Mais, à certaines époques de l'année, vous risquez de ne pas avoir de chambres. De toute façon, vous n'aurez pas le choix ; on vous affectera d'office dans un hôtel de la ville. A vous d'avoir suffisamment d'esprit sportif pour vous en accommoder. Avec un peu de chance, vous pourrez changer d'hôtel pendant votre séjour à La Havane. En province, vous avez intérêt à prendre auparavant contact avec Cubatur.

Journaux

Un bon conseil : si vous souhaitez lire tous les matins *Granma*, le principal quotidien de Cuba, demandez à votre hôtel de vous en réserver un exemplaire. Vous aurez du mal à en trouver dans les kiosques. Demandez également la sélection hebdomadaire, en français ou en anglais, vous n'y lirez pas seulement des articles politiques. Dans l'après-midi, vous pourrez acheter *Juventud Rebelde*. En ce qui concerne les publications périodiques, les plus importantes sont *Bohemia* (magazine), *Verde Olivo* (revue des forces armées) et *Palante* (pour les enfants). Ne comptez pas trop, enfin, sur les journaux occidentaux : ils sont rares et arrivent avec beaucoup de retard.

Libreta

Carte de rationnement.

Machetero

Nom donné au coupeur de la canne sur pied.

Magasins

Ils sont ouverts du lundi au samedi, de 12 h 30 à 19 h 30.

Mambi

Combattant cubain des guerres de l'indépendance.

Monnaie

Pièces de 1, 5, 20 et 40 *centavos* et de 1, 5, 10, 20 et 50 *pesos*. N'oubliez pas qu'il y a 100 *centavos* dans un *peso* cubain.

Musées

Les musées sont généralement gratuits. Renseignez-vous sur les heures d'ouverture : elles sont aléatoires.

Oriente

Nom donné à la région orientale de Cuba : provinces de Granma, Holguín, Santiago et Guantánamo.

Peso

Le taux de change officiel est de 1 peso cubain pour 0,80 U.S. dollar. Inutile de vouloir en acheter ou en vendre dans les banques à l'étranger.

Petit déjeuner

Il est plus copieux qu'en France. Outre le traditionnel café au lait, vous aurez droit à de la charcuterie, des fruits et un jus de pamplemousse ou d'ananas.

Photos

Emportez toutes les pellicules dont vous avez besoin car vous en trouverez difficilement à Cuba. Emportez également une pile de rechange si votre appareil photo ou votre caméra dispose d'une cellule. Mais n'oubliez pas qu'il est interdit de photographier et de filmer les zones militaires, les aérodromes, les ports et les militaires en uniforme.

Piropo

Compliment galant que l'on adresse au passage d'une jolie fille dans la rue. Exemple : *« Bendita sea la madre que te puso al mundo, niña »* - Bénie soit la mère qui t'a mise au monde, ma fille -. Comme toutes les Latino-américaines, les Cubaines entendent volontiers ces compliments à l'heure de la promenade. La conversation peut s'engager facilement dans la rue.

Posadas

Ce sont des hôtels réservés aux couples de passage, cubains et étrangers. Ils relèvent de l'INIT, l'Institut National du Tourisme. Tous les chauffeurs de taxi en connaissent les adresses.

Postes et télécommunications

Envoyez un télégramme si vous avez un message urgent à transmettre car lettres et cartes postales mettent souvent plusieurs semaines avant d'arriver à destination. Cela dit, vous trouverez de jolis timbres dans les bureaux de postes mais munissez-vous si possible d'un petit pot de colle pour les coller ou fermer vos enveloppes. Il n'y a pas de lettres pneumatiques à La Havane.

Prostitution

Les âmes en peine perdront leur temps à chercher la compagne d'un instant contre rétribution financière. Depuis la Révolution, les prostituées n'existent plus à Cuba. Seules quelques « filles » connues de la police, qui rôdent aux alentours des grands hôtels et des cabarets, pourront se laisser tenter.

Radio

Il n'y a pas de radio privée. Cinq chaînes nationales et trois provinciales, qui appartiennent à l'Etat, émettent des programmes éducatifs et de variétés. Si vous avez un bon poste récepteur, vous pourrez entendre Miami ou la base américaine de Guantánamo. A titre de curiosité, sachez que Radio La Havane a des émissions en créole, à destination d'Haïti et des Antilles françaises, en *quetchua* (Pérou), en *aymara* (Bolivie) et en *guarani* (Paraguay).

Restaurants

Vous avez intérêt à faire vos réservations à l'avance sinon vous 75 risquez de ne pas trouver de place. Adressez-vous à votre hôtel ou à une agence de tourisme.

Room-service

Rares sont les hôtels, même de luxe, qui assurent un service de sandwiches et de boissons, dans les chambres, à toute heure de la nuit.

Santería

Cérémonie religieuse d'origine africaine dont les rites se rapprochent du *vaudou* haïtien et de la *macumba* brésilienne. Officiellement, il n'y en a pratiquement plus depuis le triomphe de la Révolution et vous risquez de n'en connaître que les manifestations folkloriques. Pourtant, la *santería* continue à être pratiquée dans les campagnes. Voir le chapitre consacré à cette étrange tradition.

Sexe

Ni spectacles ni films érotiques : ils sont interdits. Mais ne croyez pas que les Cubains soient aussi puritains que les Soviétiques ou les Chinois. Vous verrez de jolies femmes se trémousser en bikini dans les spectacles des cabarets. Et, malgré la Révolution, le *machismo* n'a pas encore complètement disparu. Les homosexuels, en tout cas, sont très mal vus à Cuba.

Sports

Matches et spectacles sportifs sont gratuits. Mais si vous souhaitez pratiquer vous-même un certain nombre de sports — chasse, pêche, ski nautique, voile, équitation et surtout plongée sous-marine — vous n'aurez que l'embarras du choix, à condition de payer. Les prix sont modiques.

Stations thermales

Les plus connues sont celles de Amaro, Ciego Montero, Elguea, Mayajigua, San Diego, Santa Fé et San Miguel de Los Baños. Renseignez-vous auprès de Cubatur pour les réservations.

Tabac

Les cinq régions productrices de tabac sont **Vuelta Abajo** et **Semi Vuelta,** dans la province de Pinar del Rio, **Partido,** dans la province de La Havane, **Remedios,** dans les provinces de Villa Clara et Sancti Spíritus et **Oriente,** dans les provinces de Ciego de Avila, Granma et Holguín. Vous trouverez toutes les variétés de tabac à Cuba mais le meilleur tabac noir est celui de **Vuelta Abajo,** dans la province de Pinar del Rio. Vous pourrez acheter également des cigarettes blondes.

Taxis

Depuis une demi-douzaine d'années, les taxis sont moins rares car Cuba a importé des voitures mexicaines, argentines, soviétiques, japonaises et italiennes. De toute façon, chaque grand hôtel de La Havane a ses propres taxis réservés aux clients. Ayez la précaution de les réserver la veille mais ne soyez pas trop exigeants quant à leur ponctualité.

Trains

Ils ne sont ni confortables ni très pratiques. Renseignez-vous à la gare pour les horaires. Si vous devez parcourir de longues distances, prenez l'autobus. Tarifs moitié moins chers qu'en Europe.

Vaccins

Le certificat de vaccination antivariolique est obligatoire pour entrer à Cuba. Dans le cas où vous viendriez d'un pays africain ou asiatique, on pourra vous demander éventuellement d'être vacciné contre le choléra. Mais n'imaginez surtout pas que vous risquez d'attraper la malaria, la fièvre jaune, le typhus ou toute autre maladie du Tiers Monde. Cuba est le pays d'Amérique latine qui offre, dans le domaine de la santé, le plus de sécurité pour les touristes étrangers. Les maladies contagieuses y sont rares.

Vêtements

Pas de pardessus d'hiver bien sûr, mais éventuellement un chandail pour des séjours en haute montagne ou des soirées d'hiver particulièrement fraîches à La Havane. Pas de short : les Cubains en seraient choqués. Prenez des vêtements d'été : chemises sport, jeans, vestes légères, maillots de bains. Un parapluie n'est pas inutile à certaines époques de l'année. Enfin, si vous rencontrez un diplomate occidental ou une personnalité de marque, cravate et robe de ville ne seront pas inutiles. Pas de chapeaux.

Visas

Le visa est désormais obligatoire. Si vous passez par une agence de voyages et achetez un séjour ou un circuit, celle-ci vous fournira trois formulaires à remplir (30 F et 4 photos). Délai d'une semaine pour obtenir le visa. Dans tous les autres cas, adressez-vous directement au Consulat de Cuba.

Voitures de location

Il est possible de louer une voiture sans chauffeur. Tarifs en 1982 pour une Lada 5 places : 1 200 F par semaine, donnant droit à 1 700 km gratuits. Au-delà environ 1 F le litre d'essence.

Yarey

Les Cubains font avec cette fibre textile : des portefeuilles, chapeaux, tissus, dessous-de-plat, etc... vous pourrez en trouver dans les marchés locaux.

Yoruba

Voir *santería*.

Zafra

Nom donné à la récolte de la canne à sucre.

Renseignements pratiques

Adresses utiles

La Havane

Ambassade de France : Calle 5, n° 607, Vedado. Tél. 35 335 et 24 950.

Agence France-Presse : Calle 0, n° 202, Vedado. Tél. 32 0949.

Direction de l'Immigration et des Etrangers : Calle 17 et 190, Reparto Siboney. Tél. 21 9541.

Bureau du Tourisme pour la Jeunesse (INIT) : Avenida 23, n° 156, La Rampa, Vedado.

Cubatur : Avenida 23, n° 156, La Rampa, Vedado.

Ediciones Cubanas : Apartado 605, La Habana.

Paris

Consulat de Cuba : 12, rue de Presles, 75017 Paris. Tél. 567-55-35. Ouvert du lundi au vendredi (9 h - 12 h).

Association France-Cuba : 4 et 6, rue du Château-Landon, 75010 Paris. Tél. 203-20-50.

Agence Prensa Latina : Tél. 647-64-82.

Cubana de Aviación : 24, rue du 4-Septembre, 75009 Paris. Tél. 742-91-21.

Iberia : 20, rue de la Paix, 75002 Paris. Tél. 742-13-50.

Berne

Consulat de Cuba : 29 Seminarstrasse, 3006 Berne. Tél. 444-834 et 444-835.

Bruxelles

Consulat de Cuba : 77, rue Robert-Jones, 1180 Bruxelles. Tél. 343-00-20 et 343-00-29.

Madrid

Cubana de Aviación : Calle Princessa 25 (1er étage), Edificio exagono, Madrid 3. Tél. 242-29-24 et 248-49-30.

Montréal

Consulat de Cuba : 1514 Pain Avenue, Montréal, Québec. Tél. 843-88-97.

Cubana de Aviación : 1, place Villemarie, Suite 2422, 3 B 3 M 9 Montréal, Québec. Tél. 871-12-22.

Toronto

Consulat de Cuba : 372 Baystreet, 4PHFLOZ Toronto, Ontario. Tél. 362-36-22.

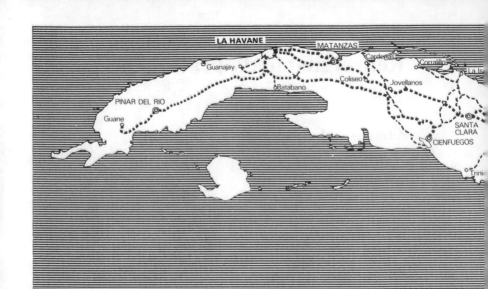

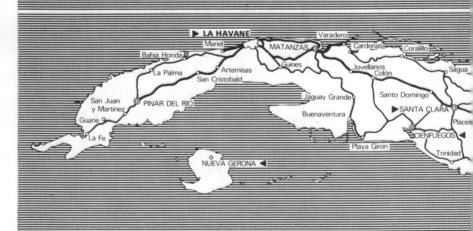

Route principale
Route secondaire
▶ Aéroport
◉ Capitale de Provi
○ Ville, Village (impor

CUBA - Réseau routier et Aéroports

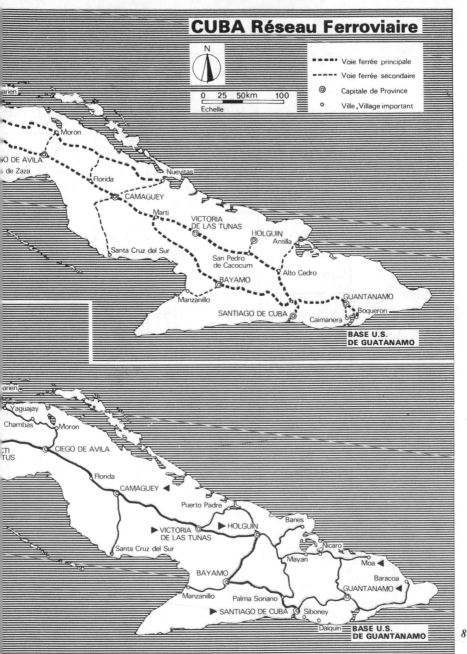

CUBA Réseau Ferroviaire

N

| 0 | 25 | 50km | | 100 |
Echelle

- - - - Voie ferrée principale

- - - - Voie ferrée secondaire

◎ Capitale de Province

○ Ville , Village important

arien

Moron

GO DE AVILA

s de Zaza

Florida

Nuevitas

CAMAGUEY

Marti

VICTORIA
DE LAS TUNAS

HOLGUIN

Antilla

Santa Cruz del Sur

San Pedro
de Cacocum

Alto Cedro

BAYAMO

GUANTANAMO

Manzanillo

Boqueron

SANTIAGO DE CUBA

Caimanera

**BASE U.S.
DE GUATANAMO**

arien

Yaguajay

Chambas

Moron

CTI
TUS

CIEGO DE AVILA

Florida

CAMAGUEY ◀

Puerto Padre

▶ VICTORIA
DE LAS TUNAS

▶ HOLGUIN

Banes

Santa Cruz del Sur

Nicaro

Mayari

Moa ◀

BAYAMO

Baracoa

GUANTANAMO ◀

Manzanillo

Palma Soriano

▶ SANTIAGO DE CUBA

Siboney

Daiquiri

**BASE U.S.
DE GUANTANAMO**

81

© Delta

Horaire des trains (1982)

	TR-43	TR-7	TR-5	TR-3 (x)	TR-1 (
La Havane	16.00	6.50	2.00	22.02	18.0(
Matanzas	17.39	8.36	3.48	23.34	19.2!
Santa Clara	20.54	12.12	7.33	2.33	22.1!
Ciego de Avila		D. 14.55	10.33	5.13	0.4:
Camagüey		D. 15.05	12.48	7.16	2.4:
Las Tunas		D. 19.55	15.25	9.35	D. 4.5
Bayamo		D. 21.55			
Holguín		A. 22.18		11.30	
Santiago			20.20		8.47
Guantánamo			22.43		

(x) Wagons à air conditionné

	TR-2 (x)	TR-4 (x)	TR-6	TR-8	TR-42
ıantánamo			9.30		
ıntiago	18.14		12.15		
olguín		22.03		6.25	
ıyamo				8.15	
ıs Tunas	21.59	0.09	17.08	10.37	
ımagüey	0.10	2.18	19.36	13.06	
ıego de Avila	2.17	4.32	21.45	15.26	
ınta Clara	5.04	7.33	1.07	18.38	5.50
ıatanzas	7.38	10.15	4.35	21.57	9.27
ı Havane	9.01	11.39	6.18	23.43	11.11

x) Wagons à air conditionné

Lignes aériennes domestiques

Villes desservies	Jours	Départ La Havane			
		Départ	Arrivée	Vols	Appareils
Camagüey	Quotidien	09.40	10.50	CU 952	IL-8
	"	19.00	20.30	CU 954	AN-4
Cienfuegos	Quotidien	08.50	09.40	CU 744	AN-4
Guantánamo	Quotidien	12.50	14.50	CU 804	YK-4
Holguín	Quotidien	11.45	13.20	CU 800	YK-4
	"	19.30	21.00	CU 978	IL-8
Moa	Quotidien	11.45	14.20	CU 800	YK-4
Nueva Gerona	Quotidien	06.40	07.20	CU 700	AN-4
	"	12.20	13.00	CU 702	AN-4
	"	14.30	15.10	CU 704	AN-4
	"	16.40	17.20	CU 706	AN-4
Santa Clara	Quotidien	08.50	10.30	CU 744	AN-4
Santiago	Quotidien	05.10	06.40	CU 984	IL-8
	"	13.35	15.05	CU 986	IL-8
	"	16.15	19.15	CU 810	YK-4
	"	17.50	19.40	CU 802	YK-4
Victoria de Las Tunas	Quotidien	16.15	17.35	CU 810	YK-4

Observation : Des Ilyushin 14 assurent, à partir de Santiago, des liaisons aériennes quotidiennes avec Guantánamo, Holguín, Manzanillo, Moa et Nicaro.

| Escales | Jours | Destination La Havane | | | | Escales |
		Départ	Arrivée	Vols	Appareils	
—	Quotidien	11.35	12.45	CU 953	IL-8	—
—	"	21.00	22.30	CU 955	AN-4	—
—	Quotidien	12.00	12.50	CU 745	AN-4	—
—	Quotidien	15.20	17.20	CU 803	YK-4	—
—	Quotidien	08.40	10.15	CU 801	YK-4	—
—	"	21.45	23.15	CU 979	IL-8	—
Holguín	Quotidien	07.40	10.15	CU 801	YK-4	Holguín
—	Quotidien	07.40	08.20	CU 701	AN-4	—
—	"	13.20	14.00	CU 703	AN-4	—
—	"	15.30	16.10	CU 705	AN-4	—
—	"	17.40	18.20	CU 707	AN-4	—
Cienfuegos	Quotidien	11.00	12.50	CU 745	AN-4	Cienfuegos
—	Quotidien	06.30	10.15	CU 801	YK-4	Moa, Holguín
—	"	07.25	08.55	CU 985	IL-8	—
V. Las Tunas	"	09.30	11.20	CU 805	YK-4	—
—	"	13.15	15.45	CU 811	YK-4	V. Las Tunas
	"	15.50	17.20	CU 987	IL-8	—
—	Quotidien	14.25	15.45	CU 811	YK-4	—

Codes

Appareils
AN-4 Antonov AN 24
IL-4 Ilyushin 14
IL-8 Ilyushin 18
YK-4 Yak 40

A la découverte de Cuba

Les 14 provinces cubaines
Ciudad de La Habana. Capitale : *La Havane*
Pinar del Rio. Capitale : *Pinar del Rio*
La Habana. Capitale : *Bauta*
Matanzas. Capitale : *Matanzas*
Cienfuegos. Capitale : *Cienfuegos*
Villa Clara. Capitale : *Santa Clara*
Sancti Spíritus. Capitale : *Sancti Spíritus*
Ciego de Avila. Capitale : *Ciego de Avila*
Camagüey. Capitale : *Camagüey*
Las Tunas. Capitale : *Victoria Las Tunas*
Holguín. Capitale : *Holguín*
Granma. Capitale : *Bayamo*
Santiago de Cuba. Capitale : *Santiago de Cuba*
Guantánamo. Capitale : *Guantánamo*

L'île des Pins ou de la Jeunesse a le statut de « commune spéciale ».

Les 14 provinces ont remplacé, à partir de juillet 1976, les 6 provinces traditionnelles de Cuba : Pinar del Rio, La Habana, Matanzas, Las Villas, Camagüey et Oriente.

La Havane, ville et campagne

Atterrir à La Havane, après avoir survolé d'une traite l'océan Atlantique, procure une sensation de bien-être. C'est d'abord le spectacle de la mer des Caraïbes, aux tonalités vertes et bleues, chaude, lisse comme un miroir, qui s'étend au large. Ce sont les palmiers de l'aéroport, les *cri-cri,* la chaleur diffuse des tropiques, le joyeux brouhaha des êtres et des choses. C'est, enfin, l'évocation instinctive de la Révolution cubaine, de *Che* Guevara, de Fidel Castro, la curiosité mêlée d'inquiétude, l'émotion de fouler le sol de cette petite nation qui a écrit une des pages les plus importantes de l'histoire contemporaine. Atterrir à La Havane est toujours un événement.

Bâtie sur la côte septentrionale de Cuba, à quelque 180 km de la Floride, La Havane est une ville de 2 000 000 habitants, une des plus anciennes du Nouveau Monde. Blanche, hérissée de gratte-ciel, elle semble défier l'espace. De larges avenues plantées d'amandiers descendent en pente douce vers la mer. La lumière y est intense aux premières heures de l'après-midi. Villas délabrées, jardins publics aux contours mal tracés, terrains vagues et nonchalance naturelle des promeneurs donnent à la capitale de Cuba cette atmosphère de province propre aux cités latino-américaines. Peu de circulation. Quelques magasins, des terrasses de café, de temps à autre, et le soir peu d'enseignes lumineuses. Mais du monde dans la rue : des écoliers, des adolescents adossés aux murs des immeubles ou assis sur le rebord des trottoirs, des militaires sans galons ni signes distinctifs, des familles sur le pas de leurs portes, parfois aussi des joueurs d'échecs ou de dominos. Et puis, bien sûr, les traditionnelles files d'attente devant les magasins et surtout les marchands de glace. Le plus célèbre de ceux-ci est *Copelia,* aux alentours de l'hôtel Habana Libre.

Tous ces gens qui déambulent distraitement n'ont rien d'européen : ils sont noirs, blancs, métis, chinois à l'occasion. Les femmes portent la mini-jupe ou le jean, sans crainte de mettre en valeur leurs hanches un peu fortes ; les hommes, une chemise par-dessus le pantalon. Quand elle est de qualité, plissée ou brodée, c'est la célèbre *guayabera* que Fidel Castro offre à ses hôtes de marque. Peu de vestes et de cravates. A La Havane, il ne fait jamais froid même si les habitants se refusent, par principe, à se baigner en hiver, c'est-à-dire en janvier ou février.

Le touriste qui débarque pour la première fois dans la capitale cubaine a pour habitude de connaître, d'abord, les alentours du Habana Libre, l'ex-hôtel Hilton, où se tiennent les conférences internationales. Pendant de longues années, Fidel Castro y eut son pied-à-terre pour recevoir les personnalités de passage. Situé dans le quartier de Vedado — devenu le centre de la ville depuis que millionnaires cubains et américains y construisirent des gratte-ciel dans les années cinquante — le Habana Libre dresse sa façade bleutée sur les hauteurs de la capitale. Les alentours immédiats sont toujours très fréquentés : Cubains et étrangers y prennent rendez-vous.

En contrebas, sur 300 m de distance, hôtels, restaurants et cabarets s'échelonnent dans un désordre apparent. Avant la Révolution, chaque hôtel avait son casino, son night-club et ses entraîneuses. Capitale du jeu et de la prostitution dans les Caraïbes, La Havane attirait quantité d'Américains qui affrétaient chaque week-end des avions pour s'offrir des plaisirs faciles mais dispendieux. Aujourd'hui le quartier de Vedado et son avenue principale — la **Rampa** — qui descend du Habana Libre vers la mer, restent le centre de la vie nocturne. Il n'y a plus ni jeux ni prostitution. Seuls les cabarets continuent à présenter tous les soirs des spectacles que l'on ne voit certainement pas en U.R.S.S. Sans distinction de classe ni de

LA HAVANE

Echelle
0 1 2 3km 4 5

—— Route principale
········ Voie ferrée
▼ Aéroport

N

DETROIT DE FLORIDE

SANTA FE

Vers Mariel

SIBONEY

MARIANO

MIRAMAR

VEDADO

HABANA

REGLA

COJIMAR

CUANABACOA

LUYANO

VIBORA

SAN FRANCISCO
DE PAULA

MANTILLA

PARCELACION
MODERNA

COLLAZO

FONTANAR

Aéroport international
José Marti

Vers Santiago de la Vegas

Vers Pinar cel Rio

Vers Guines
Matanzas

Vers
Les plages
Matanzas

© Delta

LA HAVANE (centre)

0 50 100 150 200 250m   500

N

MALECON

Malecon
Parque
Jose Marti
Calle 7

LINEA

Calle M
Calle N
Calle O

CALETA DE SAN LAZ

Calle G

Calle 17
Calle 19
Calle 21
Calle 23

Pabellon Cuba
Institut Cubain
de Radiodiffusion

San Lazaro

Belazcoain

Museo
de Artes Decorativos

VEDADO

Universite
de
la Havane

Museo Napoleonico

Stadium Juan Abrahantes
-Universitario

Zanja

Infanta

Hospital Cirugia Ortopedia
Fructuoso Rodriguez

Hospital Neurologico

Castillo
del Principe

LATINO AMERICANA

AVENIDA

PASEO

Gare
Routière

Teatro Nacional

Plaza de
La Revolucion
PASEO

Bibliothèque Nationale
José Marti

Hospital
Anti-Infeccioso

Av. Manglar

Présidence
de la République

Av. 20 de Mayo

Stadium
Latinoamericano

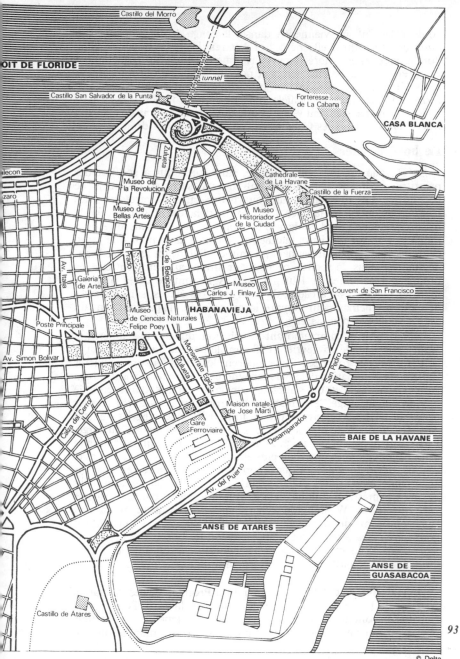

Castillo del Morro

OIT DE FLORIDE

tunnel

Forteresse
de La Cabana

CASA BLANCA

Castillo San Salvador de la Punta

lecon

zaro

Museo de
la Revolucion

Cathédrale
de La Havane

Castillo de la Fuerza

Museo de
Bellas Artes

Museo
Historiador
de la Ciudad

Zulueta

Av. de Belgica

El Prado

Av. Italia

Galeria
de Arte

Museo
Carlos J. Finlay

Couvent de San Francisco

HABANAVIEJA

Poste Principale

Museo
de Ciencias Naturales
Felipe Poey

Av. Simon Bolivar

Monserrate Egido

Zulueta

San Pedro

Calza del Cerro

Maison natale
de Jose Marti

Gare
Ferroviaire

Desamparados

BAIE DE LA HAVANE

Av. del Puerto

ANSE DE ATARES

ANSE DE
GUASABACOA

Castillo de Atares

93

© Delta

couleur, les Cubains viennent y danser la *conga*, le *mozambique* et la *guaracha* au rythme effréné des orchestres. Dans les hôtels de luxe, dont moquettes et lambris dorés mériteraient d'être plus fréquemment remis en état, où assiettes fêlées et pots en fer-blanc ont remplacé la vaisselle argentée, des invités officiels du gouvernement cubain forment l'essentiel de la clientèle, mais de jeunes couples de la capitale et de la province viennent y passer quelques jours de lune de miel aux frais de l'Etat. Tous les Cubains qui se marient y ont droit.

Le bord de mer

La Havane est une ville paisible, sans luxe, qui a souffert des priorités accordées par la Révolution aux secteurs essentiels de l'économie. Les rues de certains quartiers sont mal entretenues, les trottoirs défoncés, les façades des maisons délavées et abîmées par la brise marine. Le grand boulevard de front de mer — **Malecón** — qui longe la ville sur plusieurs kilomètres, est trop large pour que jeeps, camions et autobus parviennent à l'animer. Balançant leurs pieds au-dessus des amas de roches, pêcheurs et amoureux semblent être les premiers à s'étonner de leur solitude. A la tombée de la nuit, les maisons coloniales à arcades, de deux ou trois étages, sans terrasses de café ni cinémas pour rompre la monotonie du paysage, ont un aspect vieillot et poussiéreux.

Le monument commémorant l'explosion du cuirassé américain *Maine*, survenue le 15 février 1898 dans le port de La Havane, est là pour rappeler le rôle décisif que jouèrent les Etats-Unis pour libérer Cuba de la domination coloniale espagnole. Œuvre de l'artiste cubain Felix Cabarrocas et du sculpteur espagnol Moisés de Huerta, le monument fut érigé, le 8 mars 1925, trois semaines après que les restes du navire de guerre, retiré du fond de la baie, eussent été jetés dans les flots de la mer à quelques centaines de mètres au large. Partiellement détruit par un cyclone en 1926, le monument conserve deux belles colonnes ainsi que plusieurs reliques du *Maine* : ancres et canons, des figures allégoriques rappelant l'amitié entre républicains américains et patriotes cubains ainsi que les noms de toutes les victimes. Après le triomphe de la Révolution, les Cubains, exaspérés par l'hostilité de Washington à leur égard, retirèrent du monument l'aigle en bronze qui déployait ses ailes triomphantes et en profitèrent pour faire disparaître par la même occasion les bustes des présidents américains William McKinley et Theodor Roosevelt ainsi que celui du général Leonard Wood, gouverneur militaire américain, qui se trouvaient sur la place.

Le **Malecón,** en définitive, n'a rien de la Promenade des Anglais, à Nice, ni de la plage de Copacabana, à Rio de Janeiro. Pourtant les Cubains en sont fiers. Drapée dans ses couleurs bleue, vert émeraude, mauve au coucher du soleil, la mer des Caraïbes est omniprésente. Au large, passent les cargos chargés de tracteurs et de machines, les pétroliers frappés de la faucille et du marteau qui, depuis plus de quinze ans, inlassablement, malgré le blocus américain, apportent des milliers de tonnes de pétrole des rivages de la mer Noire.

Les forteresses

Pour s'engager dans le port, les navires doivent passer par un étroit goulet sur les bords duquel se dresse une des forteresses les plus célèbres de l'Amérique hispanique, **La Cabaña,** construite en son temps par les colonisateurs espagnols. Deux bateaux ne peuvent se croiser. L'entrée de la rade oblige les pilotes à manœuvrer au plus juste entre les deux rives d'où les promeneurs peuvent interpeller à loisir marins et passagers. C'est à cet endroit précis que le Malecón vire brusquement à droite pour se perdre dans les vieux quartiers de La Havane. On y aperçoit encore les vestiges des remparts construits à la fin du XVIIe siècle.

Dès le début du XVIe siècle, La Havane, soumise aux attaques constantes des pirates et des corsaires de toutes nationalités, dut bâtir une série de fortifications pour se protéger. C'est ainsi que fut construite, entre 1538 et 1544, la première forteresse de la ville : le **Castillo de la Fuerza.** Il n'y en avait pas d'autre lorsque le célèbre corsaire français Jacques de Sores attaqua La Havane en 1555. A l'époque, la population ne dépassait guère 3 000 habitants. Averti par les confidences d'un prisonnier que la garnison de la forteresse ne comptait qu'une quinzaine de soldats, Jacques de Sores s'en empara et exigea une rançon de 30 000 pesos, soit plus de sept fois le prix qu'elle avait coûté pour être bâtie. Résolu à se battre, le gouverneur Pérez de Angulo se rendit dans le village indien de Guanabacoa, où, dit-on, il leva une armée de 13 000 hommes. Mais son entreprise échoua. Pour se venger, Jacques de Sores incendia La Havane qu'il finit par abandonner avec ses hommes le 5 août 1555. Plus tard, à la fin du XVIe siècle, la population édifia une nouvelle forteresse du même nom, à proximité de la première. Restaurée voilà quelques années, elle abrite aujourd'hui un musée où sont exposées toutes les armes qui y furent utilisées au cours de l'histoire.

Bâti également à la fin du XVIe siècle, le **Castillo del Morro,** qui est situé à l'entrée du goulet de la rade de La Havane, joua un rôle particulièrement important lors de l'attaque de la ville par les Anglais en 1762. Après 44 jours de combats sanglants, les troupes de Sir Georges Pocock réussirent à s'emparer du terrain qui surplombait la forteresse. Ils purent alors canonner avec succès les troupes espagnoles et se rendre maîtres de la place. L'expérience servit de leçon à la population. *« Celui qui contrôlera ces hauteurs,* avait affirmé un stratège militaire, cent ans plus tôt, *contrôlera La Havane. »*

Pourtant, dans les années trente du XVIIe siècle, les Espagnols avaient construit deux forteresses d'appoint : le **Castillo de la Chorrera,** à l'Ouest de la ville, et le **Castillo de Cojimar,** à l'Est. Ces deux forteresses avaient pour mission d'éviter l'encerclement de La Havane par des troupes ennemies. Déjà, en 1558, des esclaves noirs avaient construit une tour isolée sur une des plages de la ville d'où les soldats de faction devaient surveiller la mer jour et nuit par une meurtrière. Située à l'un des angles du Parque Maceo, en bord de mer, la solide **Tour de Lazaro** témoigne du passé périlleux de La Havane.

Lorsque les Espagnols réussirent à reprendre possession de la ville, par un traité signé en 1763, ils s'empressèrent d'installer un phare sur la forteresse du Morro pour repérer pirates et corsaires qui continuaient à s'aventurer dans la région. Dès qu'un navire s'approchait, les gardes faisaient sonner la cloche de la tour et hissaient différents drapeaux à l'entrée de la forteresse pour signaler à la population le nombre de voiles du navire. Au début du XIXe siècle, lorsque fut installé un feu tournant, le phare de la forteresse n'avait plus à signaler la présence de pirates mais à orienter les navigateurs qui se dirigeaient vers le port. Doté d'installations modernes en 1945, le phare fonctionne toujours.

La construction de la forteresse de San Carlos de La Cabana, à l'emplacement même d'où les troupes anglaises avaient bombardé la ville en 1762, fut sans doute beaucoup plus importante. Terminée en 1774, ce fut à l'époque la forteresse la plus puissante de toute l'Amérique hispanique. Ses murailles restent impressionnantes.

Le vieux quartier

Fondée en 1514, la vieille ville rassemble ses derniers souvenirs autour de la **Plaza de Armas.** Il faut avoir le temps d'y flâner et de partir à la découverte du passé colonial espagnol. Etroites et pittoresques, les rues Obispo et O'Reilly peuvent être le point de départ d'une longue promenade à travers le temps. Rues à angles droits, maisons à vérandas en bois ouvragé ou en fer forgé, patios andalous, jardins enfouis au milieu des pierres, pharmacies d'un autre âge aux fioles multicolores, monuments, églises et places assoupies dans la chaleur des Caraïbes se succèdent sur quelques kilomètres carrés. La cathédrale et l'ancien palais des capitaines généraux espagnols sont parmi les plus émouvants témoignages de l'Amérique hispanique. Non loin, la *Bodeguita del Medio,* célèbre taverne que fréquenta Hemingway, ouvre ses portes à l'heure des repas. Les murs sont tapissés de photographies et de dédicaces. Mêlés aux touristes, artistes et intellectuels cubains viennent y savourer des plats traditionnels au son des guitares.

Le vieux quartier de La Havane est mal connu des étrangers. Il est difficile de leur en faire grief. Beaucoup de rues ou de ruelles, en effet, portent plusieurs noms. Et surtout, les rares plans de la ville, fournis gracieusement par l'Institut National du Tourisme — quand ils le sont — sont pratiquement illisibles. Il faut donc s'armer de patience, errer au hasard, tourner en rond, revenir deux ou trois fois sur les mêmes lieux.

La plus ancienne place de La Havane est précisément la **Plaza de Armas,** place traditionnelle que l'on trouve dans toutes les villes d'Espagne. Elle reçut ce nom à la fin du XVIe siècle lorsque les troupes coloniales espagnoles y pratiquaient des exercices militaires. Au XIXe siècle, la Plaza de Armas fut véritablement le centre de La Havane. Le soir on y organisait des fêtes grandioses auxquelles assistait le capitaine général de l'île du balcon de son palais. C'est dans les rues avoisinantes que l'aristocratie locale avait coutume de se promener à pied ou en calèche. Dès la fin de la colonisation espagnole, la Plaza de Armas tomba dans l'oubli. Il fallut attendre l'année 1935 pour la remettre en état et lui redonner le cachet qu'elle avait voilà un peu plus d'un siècle. Quelques années avant la Révolution, les autorités municipales retirèrent des lieux la statue du roi Ferdinand VII, le plus détesté des souverains espagnols, et mirent à sa place celle de Carlos Manuel de Céspedes, le « Père de la Patrie ».

La seconde place, en ancienneté, de La Havane est la **Plaza San Francisco.** Tous les capitaines généraux de Cuba, c'est-à-dire les représentants officiels du roi d'Espagne, y résidèrent de 1763 à 1794 en choisissant pour demeure la Casa de Arostegui. Ce fut à l'époque le centre de la vie commerciale de la ville. On y installa une fontaine, en 1836, due au sculpteur italien Gaggini.

La plus belle place du vieux La Havane reste la **place de la Cathédrale** qui s'appelait jadis place du Marécage. Elle forme un des ensembles architectoniques les plus remarquables de l'architecture coloniale espagnole dans les trois Amériques. Pour en préserver la beauté, les autorités municipales y ont interdit toute manifestation culturelle ou folklorique depuis décembre 1978, date à laquelle eut lieu un spectacle audio-visuel en français avec 12 écrans en couleurs et 200 figurants sur l'histoire de Cuba. Grâce à l'urbaniste cubain Luis Bay Sevilla, la place fut entièrement restaurée dans les années trente, y compris les palais de Lombillo, du marquis de Arcos, des comtes de Penalver et des comtes de Casa Bayona. Plus récemment, le gouvernement révolutionnaire y a effectué un certain nombre de travaux.

La cathédrale

La cathédrale de La Havane vaut que l'on retrace son histoire. Jusqu'à la fin du XVIIIe siècle, il n'y avait à son emplacement qu'une petite chapelle, l'oratoire de Saint Ignace. En 1788, Mgr Felipe José de Res Palacios, riche évêque espagnol originaire de Salamanque, décida de faire construire une cathédrale dédiée à la Vierge dont on voit aujourd'hui l'image sur l'autel principal. Au cours de la première moitié du XIXe siècle, de 1802 à 1832, un autre évêque de La Havane, Mgr Juan José Diaz de Espada y Fernandez de Landa, entreprit d'importants travaux pour agrandir et à la fois embellir la cathédrale. On y remplaça notamment les statues des saints par des peintures à l'huile, copies de Rubens, Murillo et autres artistes renommés, dues au pinceau d'un Français, Jean-Baptiste Vermay, qui vécut longtemps à La Havane.

Carré de 34 m sur 35 dont l'intérieur est occupé par trois nefs et huit chapelles latérales, la cathédrale de La Havane est l'œuvre des jésuites. Nul ne sait qui en fut l'architecte mais il est possible d'affirmer aujourd'hui que les jésuites en avaient établi un plan assez détaillé avant de le confier à des mains expertes. On sait en tout cas que le beau portail de la chapelle de Notre-Dame de Loreto, officiellement consacrée en 1755, est dû à un architecte de La Havane, Lorenzo Camacho. On sait également que ce fut un autre architecte, Pedro Medina, qui fut chargé des réformes entreprises dans la seconde moitié du XVIIIe siècle. Mort en septembre 1796, à l'âge de 58 ans, ce dernier construisit plusieurs édifices importants, notamment le Palais Municipal.

Les sculptures et les travaux d'orfèvrerie de l'autel principal — *altar mayor* — ainsi que du tabernacle, en marbre ou en métaux précieux, sont presque tous de l'artiste italien Bianchini. Il les exécuta à Rome, en 1820, sous la direction du fameux sculpteur espagnol Antonio Sola.

Derrière l'autel principal, on peut admirer trois grandes fresques du peintre italien Giuseppe Perovani, qui inspirèrent au premier poète cubain, Manuel de Zequeira y Arango, une de ses odes les plus connues. Ce sont, avec les peintures à l'huile de Vermay, les œuvres les plus remarquables de la cathédrale. Détail à signaler : Perovani fut le premier artiste qui donna des cours de peinture officiels à La Havane.

Jusqu'à la fin de la colonisation espagnole, il y eut dans la nef centrale de la cathédrale un monument funéraire en hommage à Christophe Colomb, de l'artiste espagnol Arturo Mélida. Ramenées de Saint-Domingue en 1796, lorsque l'Espagne céda cette colonie à la France, les cendres supposées du Grand Amiral y reposèrent jusqu'en 1898, date à laquelle elles furent transférées dans la cathédrale de Séville. D'autres tombes ont été conservées, notamment celle d'un évêque de La Havane, Mgr Apolinar Serrano, ainsi que divers tableaux dont l'un représente le Pape en train de célébrer la messe.

Peint à Rome, vers la fin du XVe siècle, donc quelques années avant la découverte des Amériques, personne ne sait jusqu'à ce jour comment il est parvenu à Cuba et qui en est l'auteur.

Le plus vieux monument de Cuba, depuis l'époque de la découverte, reste une petite pierre funéraire, ornée d'une croix et d'une tête d'ange. Elle se trouve au **Palais Municipal,** à l'endroit même où une dame de la noblesse locale, Doña Maria de Cepero y Nieto, tomba mortellement blessée par le tir d'une arquebuse, en 1557, alors qu'elle récitait sa prière dans ce qui était alors une petite chapelle.

Parmi les monuments qui évoquent les premières années de la colonisation, **El Templete,** élevé en 1828 sur la Plaza de Armas, rappelle la célébration de la première messe à La Havane en 1519. On peut y admirer à l'intérieur trois peintures de l'artiste français Jean-Baptiste Vermay sur cette cérémonie et sur l'inauguration officielle du monument à laquelle il assista. Celle-ci est un véritable document historique car les costumes et les personnages de l'époque sont reproduits avec une très grande précision.

Les demeures du XVIIe

La Havane conserve encore, en plus ou moins bon état, des demeures seigneuriales du XVIIe siècle. C'était, vu de l'extérieur, de véritables forteresses capables de résister à l'assaut des bandes de pirates qui infestaient de temps à autre la région, mais dont l'intérieur était spacieux et joliment meublé.

Ces demeures avaient généralement deux étages. Le rez-de-chaussée était constitué d'une grande salle d'entrée, le *zaguán,* d'où l'on passait sous un porche vers la galerie principale qui entourait le patio. De chaque côté de la maison, des pièces et des chambres. Celles qui donnaient sur la rue étaient réservées aux bureaux de travail du propriétaire ; les autres étaient réservées aux marchandises et aux fruits dont il faisait le commerce. Les pièces intérieures étaient occupées par le majordome et les serviteurs. Au centre, le patio était orné de massifs et parfois une fontaine allégeait le paysage. Derrière le patio était situé le *traspatio* où l'on mettait les attelages. Au premier étage il y avait une autre galerie circulaire qui servait de salle à manger sur laquelle donnait un large escalier. Tout autour, le salon, les chambres, la cuisine, la salle de bains et les chambres des domestiques. Le toit de la demeure était généralement en tuiles.

Les façades avaient pour la plupart des balcons de style mauresque qui ont généralement disparu au cours des temps. Ces balcons comme les portes et les fenêtres étaient en bois sculpté et, phénomène particulier à l'époque coloniale espagnole à Cuba, les décorations étaient beaucoup plus riches que celles des demeures du même genre en Andalousie. Enfin le sol des pièces principales était généralement en marbre alors que les autres ainsi que les couloirs étaient en terre cuite rouge.

De toutes ces demeures du XVIIᵉ siècle dont on peut voir les vestiges, celle de Don Gaspar Riberos de Vasconcelos, à l'angle des rues Obrapia et San Ignacio, est probablement la plus ancienne. Bâtie en 1637, elle présente sur la porte d'entrée l'écu nobiliaire des Vasconcelos qui en furent les premiers propriétaires. Plus tard, ce fut le premier marquis de San Felipe y Santiago qui se rendit maître des lieux.

Une autre demeure intéressante est celle du comte de San Juan de Jaruco, face à la Plaza Vieja. Bâtie en 1670, elle conserve des portraits à l'huile qui datent de la fin du XVIIIᵉ siècle.

Au numéro 2 de la Calle Oficios, aux alentours de la Plaza de Armas, l'ancienne résidence de l'évêque de La Havane date elle aussi du XVIIᵉ siècle. Elle fut reconstruite plus tard par Mgr Diego Evelino de Compostela, évêque de la ville, qui en fit le siège du Palais Episcopal. Plusieurs évêques célèbres y vécurent : Mgrs Geronimo Valdés, Juan Lazo de la Vega et Pedro Moreil de Santa Cruz.

La demeure du marquis de Justiz de Santa Ana, à l'angle de la rue Baratillo et de la ruelle de Justiz, est une des plus anciennes de La Havane. Ses balcons primitifs ont disparu mais elle conserve de belles décorations mauresques, une façade latérale typiquement espagnole et une espèce de tour, une des rares de la ville, d'où la population pouvait observer le passage des bateaux par le goulet du port. Cette maison a une importance historique car, avant la construction du Théâtre Principal, c'est là qu'on jouait des spectacles dramatiques.

A l'angle des rues Teniente Rey et Aguiar, on peut admirer le prototype des demeures de La Havane au début du XVIIᵉ siècle. C'est certainement l'édifice le plus représentatif de l'art mudéjar à La Havane, c'est-à-dire de cet art qui se développa en Espagne chrétienne du XIIᵉ au XVIᵉ siècle et qui est caractéristique de l'influence de l'Islam. Remarquez notamment les balcons en bois sculpté.

L'architecture baroque

C'est de l'époque baroque, au XVIIIᵉ siècle, que datent les monuments civils les plus importants de La Havane pendant les quatre siècles de colonisation espagnole. En outre, ils ont tous une valeur historique. A Cuba, le style baroque connut deux phases principales : la phase du *baroque herreriano,* du nom du célèbre architecte Juan de Herrera, auteur des couvents de San Francisco et Santo Domingo, qui se manifesta pendant la première moitié du XVIIIᵉ siècle ; et la phase du *baroque cubain,* pendant la seconde moitié du XVIIIᵉ siècle, beaucoup plus riche en motifs décoratifs. Les exemples les plus remarquables de cette dernière sont la Casa de Correos ou Palacio de la Intendencia, le Palacio de Gobierno (aujourd'hui Palais Municipal) et la cathédrale. Ajoutons que les plus grands architectes de ces deux époques baroques furent José Arcès, José Quiros, José Perera, Pedro Molina, Lorenzo Camacho, quelques architectes jésuites et surtout deux militaires, Antonio Fernandez de Trevejos et Manuel Pastor, de l'armée espagnole.

Le **Palais Municipal,** qui fut à l'origine la Casa de Gobierno avant de devenir le Palais des capitaines généraux puis le Palais de la Présidence de la République, est sans aucun doute le meilleur exemple de l'architecture baroque à La Havane. Malheureusement, de nombreux portraits à l'huile des capitaines généraux de Cuba qui s'y trouvaient ont disparu au cours des ans. Citons parmi les plus remarquables la peinture à l'huile du marquis de la Torre due au pinceau de Vicente Escobar, un artiste de La Havane, et les portraits de Apodaca, Cienfuegos et Cagigal, peints par le Français Vermay.

Deux grands tableaux ont été précieusement conservés. Leur exécution avait été confiée, en 1880, à un peintre italien, Hércules Morelli, qui s'était réfugié à Cuba pour des raisons politiques. Mais, terrassé par la fièvre jaune, celui-ci ne put les terminer. L'Espagnol Francisco Sans y Cabot et le Belge Gustave Wappers furent alors chargés de le faire à sa place en opposant la « féroce colonisation espagnole » à la « pacifique colonisation de l'Amérique du Sud ». C'est ainsi que le premier tableau représente l'arrivée belliqueuse d'Hernan Cortes au Mexique alors que le second retrace le débarquement des puritains à Plymouth.

En 1862, on plaça dans le beau patio du palais une statue de Christophe Colomb qui s'y trouve encore. Elle est due à un autre artiste italien, Cucchiari. Il faut voir également deux médaillons en marbre de la fin du XIXᵉ siècle dont l'auteur est un artiste néo-classique danois, Bartolomé Thorwaldsen. Ils représentent le Jour et la Nuit. Enfin, un tableau historique, « La Mort de Maceo », du peintre cubain Armando Menocal, figure en bonne place dans le palais depuis le début du siècle. A toutes ces curiosités, il faut ajouter bien sûr le monument funéraire le plus ancien de Cuba dont nous avons parlé précédemment.

Quant au palais proprement dit, sa construction commença en 1776 sous la direction de l'un des meilleurs architectes de La Havane, le colonel Antonio Fernandez de Trevejos y Zaldivar, aidé d'un autre architecte de La Havane, Pedro Medina. En débarquant à Cuba, en 1790, le nouveau gouverneur de l'île, don Luis de las Casas, put s'y installer mais les travaux n'étaient pas encore terminés et ce ne fut qu'en 1834 que les derniers délinquants de droit commun qui étaient enfermés dans une des ailes de l'édifice furent transférés ailleurs.

Jusqu'en 1841, l'édifice abrita les appartements privés du capitaine général et de sa famille ainsi que les bureaux du gouvernement civil et militaire. Une fois les détenus partis, les cellules furent louées à des tailleurs, joailliers et petits artisans divers qui en firent un centre animé de la vie locale. A la fin du XIXᵉ siècle, le palais servit uniquement de siège aux organismes officiels.

Deux faits historiques s'y déroulèrent : les cérémonies de la fin de la colonisation espagnole, en 1899, et la proclamation de la République en 1902. A partir de cette dernière date, le palais prit le nom de **Palais Présidentiel** qu'il conserva jusqu'en 1920 lorsqu'il devint officiellement le siège de la municipalité.

Un autre édifice important de cette époque baroque est la **Casa de Correos** ou **Palacio de la Intendencia.** Ce fut le marquis de la Torre, gouverneur de l'île, qui eut l'idée de faire bâtir quatre grands bâtiments de chaque côté de la Plaza de Armas. Mais on n'en construisit que deux en définitive, le plus grand étant la Casa de Gobierno dont nous avons parlé plus haut. Bâtie en 1772 d'après les plans du colonel Fernandez de Trevejos, la Casa de Correos fut d'abord le siège de divers organismes officiels de la Couronne. Puis, en 1853, le bâtiment prit le nom de Palacio de la Intendencia ou Palacio del Segundo Cabo. Plus tard, sous la République, ce fut le siège du Sénat et après la construction du Capitole, en 1929, celui du Tribunal Suprême de Justice. Aujourd'hui il accueille dans ses murs la Commission Nationale de Conservation et Restauration des Monuments Nationaux.

Tout près de la cathédrale, on peut admirer le **séminaire de San Carlos y San Ambrosio,** construit par les jésuites pendant la première moitié du XVIIIᵉ siècle, dont le porche rappelle celui de l'Université de Valladolid en Espagne. Il ne faut pas manquer de voir également le patio intérieur, unique en son genre, de l'époque coloniale, ainsi que l'escalier monumental. Cet édifice a été malheureusement restauré à plusieurs reprises.

Bâtie en 1787, l'ancienne **caserne des Milices,** aujourd'hui siège du ministère de l'Intérieur, est assez bien conservée et mérite d'être vue pour sa belle porte baroque de l'architecte Pedro Medina. Le bâtiment se rendit tristement célèbre sous Baptista car de nombreux détenus politiques y furent torturés ou jetés par les fenêtres.

Bien conservées pour la plupart, les demeures seigneuriales du XVIIIᵉ siècle méritent d'être connues car elles appartiennent au paysage du vieux La Havane. Généralement constituées d'un rez-de-chaussée, d'un entresol et d'un premier étage, elles ont de larges fenêtres, des pièces spacieuses, des escaliers en marbre et en fer forgé, et des salles de bains en *azulejos*. L'entrée est ornée de colonnes surmontées de petits frontons baroques, les *jambajes habaneros*.

Commençons par les palais situés aux alentours de la cathédrale. Le plus célèbre est le **Palacio del Marqués de Arcos**. Il tient son nom d'un Espagnol de La Havane, Ignacio de Penalver y de Cardenas, qui reçut le titre de marquis de Arcos, en 1792, pour les services qu'il rendit pendant le siège et l'occupation de la ville par les Anglais. Ce fut son père qui fit bâtir cette demeure en 1741. Elle comporte deux façades : l'une sur la place de la Cathédrale et l'autre, la principale, sur la Calle de Mercaderes. De l'avis des Cubains, c'est l'exemple le plus parfait de demeure coloniale en bon état de conservation. Elle vaut la peine d'être visitée. Outre ses cinq arcades sur colonnes doriques et ses balcons richement décorés, elle possède un escalier construit dans le style des escaliers des grands palais de la Renaissance italienne.

C'est dans ce palais qu'un patriote cubain, Ramon Pinto, Catalan de naissance, fonda en 1844 le Liceo Artistico y Literario qui jouera un grand rôle dans le mouvement d'indépendance. Pinto lui-même, qui lutta contre la domination espagnole, fut exécuté en 1855. Plus tard, la marquise de Villada prit possession des lieux. Restaurée voilà trente ans sinon davantage par l'architecte Luis Bay, lorsqu'il entreprit de remettre en état la place de la Cathédrale, la maison loge actuellement plusieurs familles cubaines.

Sur cette même place, à l'angle de la Calle de Empedrado, se dresse le **Palacio de Lombillo**. Bâtie dans les années trente, au XVIIIe siècle, agrandie et terminée en 1746, cette demeure fut la propriété de la famille Pedroso dont l'une des descendantes épousa, à la fin du XIXe siècle, le comte de Lombillo. Siège du secrétariat à la Défense Nationale, en 1937, puis siège de la Santé municipale, en 1941, le palais contient aujourd'hui les archives de La Havane.

A la différence des autres palais de la place, le **Palacio de los Condes de Casa Bayona,** face à la cathédrale, n'a pas de portails. Il fut construit en 1720 par don Luis Chacon, gouverneur de Cuba, qui maria sa fille à don José Bayona y Chacon, premier comte de Casa Bayona. Celui-ci laissa tous ses biens à sa mort au couvent de Santo Domingo où on l'enterra. A la fin du XIXe siècle, l'édifice fut racheté par le Collège des Greffiers de La Havane. Dans les premières années de la République, on y édita un quotidien. Racheté par une entreprise de rhum nationalisée, le palais fut restauré, en 1931, par l'architecte Enrique Gil Castellanos. Voir le plafond en bois précieux et le plancher du vestibule, *zagúan,* en marbre rouge.

Un autre ensemble extrêmement intéressant de l'art baroque est celui qui entoure la Plaza Vieja. Citons en premier lieu le **palais du comte de San Juan de Jaruco,** situé au n° 107 de la Calle Muralla, au coin de Calle San Ignacio. La construction primitive date du XVIIe siècle mais le palais fut reconstruit et agrandi lorsque son propriétaire, don Gabriel Beltran de Santa Cruz y Aranda, reçut le titre de comte de

San Juan de Jaruco, en 1768, pour ses exploits pendant le siège et l'occupation de La Havane par les Anglais. L'édifice, doté d'une belle architecture, est célèbre car une des descendantes du comte de Jaruco, Mercedes Santa Cruz y Montalvo, épousa un noble français et fut sous le nom de comtesse de Merlin une des gloires de la littérature cubaine. Elle lutta pour l'abolition de l'esclavage et fut par sa beauté, aussi bien que par ses dons artistiques et littéraires, un personnage très estimé dans la haute société parisienne.

Au nº 76 de la Calle San Ignacio, le **Palacio del Conde de Jibacoa** possède un beau portail orné de colonnes et d'un fronton triangulaire, mélange d'art classique et d'art baroque.

Il faut voir également Calle San Ignacio Nº 70, à l'angle de la Calle Teniente Rey, la **Casa de las Beatas Cardenas,** ou la maison des bigotes de la famille Cardenas, qui date du XVIIIe siècle. Elle fut au début du XIXe siècle le siège de la Société Philarmonique dont les concerts attirèrent à l'époque le tout La Havane.

Ajoutons enfin, pour mémoire, le palais du comte de San Fernando (Calle de San Ignacio 22), la maison du marquis de Aguas Claras (Calle de San Ignacio 54), la maison du comte Fernando (Calle de Mercaderes 24) et le palais du marquis de Santovenia (Calle de Baratillo 9).

Une des plus belles caractéristiques de toutes ces vieilles demeures de la Plaza Vieja et des rues avoisinantes sont les galeries supérieures et leurs fenêtres aux vitraux multicolores, les *mediopuntos,* typiques de l'architecture coloniale à Cuba.

Il y a bien d'autres maisons du XVIIIe siècle qui méritent d'être vues à La Havane. Le **palais du comte de la Réunion,** Calle Empedrado, est connu pour son beau patio et son magnifique escalier. Le **palais du comte de Casa Barreto,** au nº 76 de la Calle Oficios, à l'angle de la Calle Luz, évoque la sinistre figure du propriétaire. Celui-ci avait les meilleurs *rancheadores* de la ville, hommes de main chargés de poursuivre les esclaves noirs qui fuyaient les plantations. Le comte de Casa Barreto, qui reçut ce titre de noblesse pour les services rendus pendant l'occupation de La Havane par les Anglais, louait ses *rancheadores* aux autres propriétaires de la région. Bien d'autres demeures attestent la vitalité de l'architecture à La Havane pendant cette période de son histoire.

Le style néo-classique

Il est intéressant d'observer que si le XVIIe siècle, à La Havane, a surtout été caractérisé par la construction d'églises et de couvents, le XVIIIe siècle a vu apparaître de nombreux édifices gouvernementaux et de somptueuses demeures privées qui appartenaient à l'aristocratie. Cette tendance se poursuivra au XIXe siècle mais on verra apparaître de surcroît de grands bâtiments destinés au commerce et à l'industrie.

L'édifice le plus important, bâti au cours du XIXe siècle, à La Havane, est la fameuse **Manzana de Gomez**, située en face du Parque Central, c'est-à-dire dans ce qui fut le centre de la ville jusqu'à la Révolution de 1959. L'édifice fut construit par l'architecte espagnol Pedro Tomé y Verecruisse, auteur de nombreux édifices à Madrid. Don Julian de Zulueta, qui en fut le propriétaire, reçut le titre de marquis d'Alava pour avoir construit la voie ferrée reliant Caibarién à Zaza. Il ne put terminer sa maison. Et ce fut un riche commerçant, José Gomez Mena qui, au XXe siècle, décida de l'agrandir et d'y ajouter quatre étages. La maison est remarquable par la composition néo-classique des façades.

Une autre construction néo-classique du XIXe siècle est l'actuel **hôtel Inglaterra,** situé à l'angle du Paseo de Marti et de la Calle de San Rafael. A l'époque coloniale, le rez-de-chaussée était occupé par un café, *Le Louvre,* qui tenait son nom de la porte d'entrée dénommée *La Acera del Louvre.* Les lieux sont historiques. Le 27 novembre 1871, un militaire espagnol, Nicolas Estévanez, qui fut par la suite un écrivain et un homme politique célèbre de la République espagnole, brisa son épée devant le café en entendant les détonations du peloton chargé d'exécuter huit étudiants en médecine qui luttaient pour la liberté. Indigné, Nicolas Estévanez renonça sur-le-champ à la carrière militaire en s'écriant : « *Au-dessus de la Patrie, il y a l'Humanité et la Justice.* » On donna en souvenir de son geste le nom de « L'Epée du Louvre » à la porte de l'immeuble qui devint par la suite le lieu de rencontre préféré de la jeunesse dorée de La Havane.

Presque en face du Palais Présidentiel, on peut voir, Calle Zulueta, une construction massive, de style néo-classique, qui fut jadis le siège de la *Havana Tobacco Company.* Aujourd'hui c'est la compagnie de tabac *La Corona Cabanas,* nationalisée, qui y a installé ses bureaux.

La période néo-classique n'a pas laissé à La Havane de superbes exemples d'architecture civile ou religieuse. Mais les demeures privées furent souvent remarquables. Tel est le cas du **Palacio de Aldama.** Construit en 1840 par l'architecte et ingénieur dominicain Manuel José Carrerá, pour le compte d'un Basque espagnol, don Domingo de Aldama y Arréchaga, le palais est situé en face du Parque de la Fraternidad, Calle de Amistad plus précisément, entre l'avenue Simón Bolivar et la rue Barnet. L'édifice se compose de deux maisons contiguës qui forment un tout architectonique : une pour le propriétaire et l'autre pour sa fille Rosa Aldama y Alfonso et le mari de celle-ci. Le style est néo-classique mais l'influence est italienne. La façade de l'édifice est certainement l'une des plus belles de son genre, à La Havane. Il faut admirer en particulier la porte d'entrée haute de deux étages. L'architecte Leonardo Morales écrivit à son propos en

1926 : « *Les lignes du Palais d'Aldama ont la simplicité et la pureté classique des palais de la Renaissance à Rome.* »

Carrera est connu à Cuba car il construisit également les voies ferrées de la province de Matanzas. Il était apparenté à la famille del Monte dont l'un des membres, Domingo del Monte, homme très raffiné qui lui donna des conseils d'architecture, habita un certain temps dans ce palais. Né au Venezuela, d'une famille dominicaine, Domingo arrive très jeune à Cuba. Il exerça une grande influence sur les lettres cubaines, surtout de 1830 à 1843, organisant des conférences chez lui, des débats, luttant pour l'abolition de l'esclavage, soutenant enfin tous les intellectuels. Son fils, Miquel de Aldama y Alfonso, fut le second propriétaire des lieux. Très tôt il lutta pour l'indépendance de Cuba. C'est ainsi qu'en 1864 il refusa le titre de marquis d'Aldama que lui offrit le roi d'Espagne. Quatre ans plus tard, il refusa également le titre de gouverneur et capitaine général de l'île que lui offrait le prétendant carliste au trône d'Espagne s'il le soutenait dans ses prétentions.

Lorsque débuta la Guerre de Dix Ans, dans la province d'Oriente, il y eut des troubles à La Havane dès le mois de janvier 1869. C'est ainsi que des *voluntarios* espagnols saccagèrent son palais et détruisirent tout ce qu'ils y trouvèrent : armes anciennes, rideaux, tableaux, porcelaines, lampes et portes. Puis, ils brûlèrent sur une place de la ville les meubles et les tapisseries. Les familles d'Aldama et del Monte échappèrent à la mort car elles se trouvaient dans leur propriété de Santa Rosa. Elles eurent le temps de s'enfuir aux Etats-Unis, où Miguel de Almada prit la tête de la Junte Révolutionnaire qui représentait la République en Armes. Patriote jusqu'au bout des ongles, il mourut en exil.

Le **Palacio de los Condes de Casa Moré** ou **Palacio de los Marqueses de Villalba** est une très belle construction qui occupe 2 000 m² en face de la petite place des Ursulines - Plazuela de las Ursulinas. Construit en 1872 par l'architecte Eugenio Rayneri Sorrentino, il eut pour premier propriétaire le comte de Casa Moré, magnat sucrier, fondateur d'une compagnie de chemins de fer.

Une des propriétés les plus célèbres du Cerro, aujourd'hui quartier de La Havane en grande partie industrialisé, est la **Quinta de los Condes de Santovenia.** Construite entre 1832 et 1841, cette *quinta* (propriété rurale) est située Calzada del Cerro, presque à l'angle de Calle Patria. Entourée de magnifiques jardins qu'ornaient des statues en marbre blanc, des fontaines et une pièce d'eau sur laquelle naviguaient des gondoles les soirs de fêtes, la maison possède une façade de 40 m de large. A l'intérieur se trouve une grande salle de réception de 16 m sur 6 en style néo-classique d'influence italienne. De la terrasse on découvrait la campagne avoisinante. Des fêtes sompteuses s'y déroulèrent, notamment celles offertes au grand duc Alexei, fils du tsar Alexandre II, et aux princes d'Orléans qui montèrent sur le trône de France sous les noms respectifs de Louis-Philippe et Charles X. Aujourd'hui la propriété abrite l'asile Santovenia.

Les « promenades »

A la fin du XIXe siècle, puis dans les premières années du XXe siècle, le **Prado,** devenu par la suite Paseo de Marti, fut l'avenue aristocratique par excellence de La Havane. On pouvait y admirer les plus belles maisons de la ville. Le dimanche, les dames de la haute société s'y promenaient en calèche. Pendant les fêtes traditionnelles du Carnaval, on y organisait les fameux *Paseos de Carnaval,* toujours en vogue à Cuba. Ce sont des cortèges de chars allégoriques qui défilent au rythme des orchestres. Le Prado reste une des avenues les plus pittoresques de La Havane. Elle rappelle beaucoup de villes d'Espagne et d'Amérique latine.

Deux événements sanglants s'y déroulèrent. En 1913, le général Armando de Riva, chef de la police de La Havane, le général le plus jeune des guerres de l'Indépendance, se promenait dans sa voiture en compagnie de deux enfants dont l'un était son fils, lorsqu'un autre général des guerres de l'Indépendance, Ernesto Asbert, gouverneur de la province de La Havane, s'approcha et tira sur lui à bout portant, le blessant mortellement à la tête et au ventre. D'après le célèbre historien de la ville, Emilio Roig de Leuchsenring, auteur de remarquables ouvrages sur La Havane, mort au début des années soixante, l'assassinat eut d'autant plus de retentissement que les deux protagonistes étaient des héros de l'Indépendance et que le général Asbert avait abattu le général Riva pour la simple raison que ce dernier lui faisait perdre de bonnes affaires en fermant systématiquement les maisons de jeux. Le deuxième épisode sanglant eut lieu, en 1957, sous la dictature de Batista, lorsqu'un colonel tira sur plusieurs jeunes opposants qui manifestaient sur le Prado et n'hésita point à abattre l'un d'entre eux dans les bureaux d'une compagnie aérienne américaine alors que celui-ci, venu chercher un billet d'avion, lui demandait grâce.

Mais la *promenade* la plus ancienne de La Havane reste la Alameda de Paula, plus simplement **Alameda.** Elle doit son existence au capitaine général Felipe Fons de Viela, marquis de la Torre, que l'on considère comme le premier urbaniste de La Havane pour la quantité de travaux qu'il entreprit. Construite à la fin du XVIIIe siècle par l'ingénieur Antonio Fernandez Trevejo, l'Alameda fut embellie à plusieurs reprises au cours du XIXe siècle et devint l'avenue préférée de l'aristocratie locale. Malheureusement, au début de ce siècle, lorsque le port de La Havane commença à se développer considérablement, les marins commencèrent à y affluer, une compagnie de navigation américaine y installa à proximité ses quais et ses hangars. Il a fallu attendre la fin de la deuxième guerre mondiale pour que la Alameda fût partiellement restaurée.

Le port

Enfin, une visite à la maison de José Marti, l'apôtre de l'Indépendance, s'impose. Elle n'est pas loin de la gare.

Au-delà du vieux quartier commence le port proprement dit. Il est tellement encombré que les cargos doivent attendre au large deux, trois jours et même davantage avant de pouvoir accoster. Les hangars sont archipleins et les quais encombrés de caisses de toute taille et de toute provenance. Elles s'amoncellent partout, au milieu des containers, des tas de ferraille, des pneus, des tracteurs, des camions, des grues, sur la voie ferrée, à proximité des arrêts d'autobus, au milieu de la chaussée enfin. Les véhicules qui empruntent l'avenue du port doivent faire du slalom pour parvenir à se faufiler entre les marchandises. De cette pagaille indéfinissable surgissent, en lettres énormes, les noms de pays lointains, en caractères cyrilliques, latins ou arabes. Selon les autorités cubaines, 85 % des produits de consommation courante, matières premières, machines et biens d'équipement qui arrivent à Cuba par bateau proviennent des ports soviétiques de la Baltique et de la mer Noire. A titre d'exemple : du seul port de Novorosisk, à une trentaine de kilomètres d'Odessa, partent tous les mois onze pétroliers chargés au total de 400 000 t de pétrole brut.

Le temps est néanmoins révolu où seuls les navires marchands des pays de l'Est et quelques cargos cypriotes déjouaient le blocus américain. Au cours des dernières années, divers pays latino-américains comme le Venezuela, le Pérou, Panama et l'Argentine ont rétabli progressivement leurs relations commerciales et maritimes avec Cuba.

Depuis la Révolution, La Havane dispose également d'un port de pêche qui est l'un des plus modernes de l'Amérique latine et des Caraïbes. Grâce à l'aide de l'U.R.S.S., les Cubains ont construit sur une quinzaine d'hectares, situés en face de la forteresse d'Atarès, un ensemble d'installations portuaires qui méritent d'être visitées : chambres frigorifiques d'une capacité de 12 000 t, fabrique de farine de poisson, fabrique de glace destinée à l'approvisionnement des embarcations qui n'ont pas de système de congélation, système de télévision en circuit fermé permettant de contrôler la totalité des opérations, cale sèche, ateliers de réparation et centre de télécommunications doté d'un rayon de 2 000 miles nautiques. Le tout est assez

spectaculaire pour un petit pays en voie de développement qui, voilà une vingtaine d'année, capturait au grand maximum 22 000 t de poissons par an.

L'industrie de la pêche était pratiquement inexistante dans les années cinquante. Des centaines de petites embarcations en bois, dont une infime majorité était à moteur, longeaient les côtes de l'archipel. Elles ne se hasardaient jamais en haute mer. Dès le triomphe de la Révolution, les autorités ont commencé à importer des bateaux des pays de l'Est — U.R.S.S., Pologne et Allemagne Démocratique — puis des pays occidentaux : France et Espagne surtout. Outre 8 complexes industriels de traitement et de distribution du poisson, Cuba possède aujourd'hui l'une des principales flotilles de pêche de l'Amérique latine. Et, avec plus de 210 000 t par an, soit dix fois plus qu'en 1958, sa production de poissons et de crustacés la place dans le peloton de tête des pays du Tiers Monde. Les bateaux cubains ne sillonnent plus seulement la mer des Caraïbes et le golfe du Mexique, ils vont jeter leurs filets jusque dans les eaux africaines.

Bien sûr l'industrie de la pêche n'est pas destinée seulement à l'exportation. Pour pallier aux problèmes soulevés par le blocus américain, le gouvernement a décidé de modifier radicalement les habitudes alimentaires de la population en l'incitant à consommer davantage de poisson. Des centaines de poissonneries ont été installées à cet effet sur tout le territoire cubain. La consommation par habitant a atteint 11,2 kg en 1978 mais elle reste inférieure aux possibilités réelles du pays.

Quoi qu'en disent certains commentateurs européens qui connaissent mal l'Amérique latine, La Havane est une ville qui continue à appartenir au monde afro-hispano-américain. L'influence de l'Union Soviétique ne s'y fait sentir que dans l'appareil de l'Etat. Malgré la rigueur du parti unique, malgré les contraintes du blocus, la capitale cubaine reste nonchalante, chaude et souriante. Les tracasseries administratives, la bureaucratie, les changements inattendus de programmes ou d'excursions rappellent certains pays communistes. Mais ils ne sont pas propres à la société cubaine. Dans toute l'Amérique latine, les mêmes problèmes se posent à des degrés divers.

A La Havane, dans tous les cas, le visiteur étranger ne verra ni bidonvilles, ni enfants en haillons, ni prostituées. Le soir il pourra se promener tranquillement dans n'importe quel quartier sans crainte d'être attaqué par des voyous ni assassiné. Comme dans n'importe quelle autre ville ou localité de l'archipel, les Comités de Défense de la Révolution (**CDR**) restent ouverts jour et nuit. Echelonnés tous les 100 ou 200 m, leurs militants ne sont pas seulement chargés de veiller sur la sécurité des citoyens ; ils ont des tâches innombrables, qui vont depuis la vaccination obligatoire des enfants contre la tuberculose et la polyomiélite jusqu'au contrôle du gaspillage de l'énergie électrique dont se chargent les patrouilles *Click*.

La place de la Révolution

Toute visite de La Havane passe inévitablement par la **place de la Révolution** — Plaza de la Revolución. Elle est plus grande que la place de la Concorde, à Paris, et peut contenir un million de personnes. Fidel Castro l'a rendue célèbre sur les quatre continents en y prononçant ses discours enflammés contre les ennemis de Cuba, parlant parfois pendant six heures d'affilée à une foule attentive pour lui exposer les problèmes économiques du pays.

C'est un architecte et urbaniste français, Jean-Claude Forestier, qui proposa, en 1926, sous la tyrannie de Machado, de faire des lieux le centre de La Havane. A l'époque, la colline s'appelait l'Ermite de Montserrat ou Ermite des Catalans, en raison d'une petite église qui y avait été bâtie par la colonie catalane de Cuba. Le projet de Forestier fut abandonné dans un tiroir alors qu'il avait été spécialement engagé pour embellir et moderniser la ville en collaboration avec un autre Français, Jean Labatut, et deux architectes cubains, Enrique Varela et Raúl Otero. Plus tard, au début des années cinquante, le dictateur Batista décida de construire une grande place comme prévu mais sans respecter le projet initial.

L'architecture est sobre. Le monument le plus important est la colonne élevée à la gloire de José Marti. Tout autour de la place on peut voir le palais de Justice, différents ministères, la Bibliothèque nationale, le siège du Comité Central du Parti Communiste Cubain. Et, sur la façade d'un édifice, le portrait géant de Ernesto *Che* Guevara — *el Comandante*. Un seul monument a été bâti à sa mémoire dans l'archipel cubain : à Santiago, où quelques pierres blanches, rassemblées dans une figure géométrique, évoquent son épopée. Mais, à La Havane, comme dans le reste du pays, il n'y a pas un ministère, un bureau, une école, une usine, une mairie et souvent un foyer qui n'ait son portrait. Mort dans les maquis de Bolivie, le 9 octobre 1967, après une vie consacrée aux luttes révolutionnaires, compagnon de Fidel Castro dans la Sierra Maestra, ministre du gouvernement dans les premières années de la Révolution, baroudeur en Afrique noire, chaleureux, profondément convaincu de l'apparition d'un Homme nouveau sur terre, *Che* Guevara est aujourd'hui admiré même par ceux qui le combattirent à l'époque et par ceux qui combattent aujourd'hui ses idées. C'est lui, en définitive, qui est le véritable symbole de la Révolution cubaine lorsque, libre encore des contingences géo-politiques et sans attache aucune avec les pôles du communisme international, elle pouvait clamer son enthousiasme et la pureté de son idéal.

Le temps des guérilleros au pouvoir, celui de *Che* Guevara, est terminé. Aujourd'hui le *crocodile vert des Caraïbes* vit une autre réalité.

Dans les alentours de La Havane, l'Ecole Lénine, inaugurée en janvier 1974, est réservée aux meilleurs élèves de l'enseignement secondaire de la province. Reprenant une image de José Marti, les Cubains ont lancé un slogan « martien », qui se résume en une phrase : « *Que les étudiants manient la houe le matin et la plume l'après-midi.* » A l'Ecole Lénine, 4 500 étudiants de 11 à 17 ans ont à leur disposition une des cités universitaires les plus remarquables du Tiers Monde. Tout y est entièrement gratuit.

Curiosités

Castillo de la Fuerza. Construite de 1538 à 1544, c'est l'une des plus vieilles forteresses de l'Amérique hispanique. C'est de là que partit l'explorateur Hernando de Soto pour découvrir les bouches du Mississipi et en prendre possession au nom des rois catholiques.

Castillo del Morro. Forteresse construite par les Espagnols, à la fin du XVIᵉ siècle, pour repousser les attaques des corsaires. Voir la batterie des douze Apôtres dont chaque canon porte le nom d'un compagnon de Jésus-Christ. Dans la tour est installé un phare qui transmet des signaux à 20 km à la ronde. La forteresse est aujourd'hui une prison.

La Cabaña. Bâtie dans la deuxième moitié du XVIIIᵉ siècle, la forteresse de San Carlos de La Cabaña se dresse à l'entrée du port de La Havane. Très haute muraille. Les Espagnols y fusillèrent leurs prisonniers pendant la guerre d'Indépendance. Après la chute du dictateur Fulgencio Batista, de nombreux procès s'y déroulèrent contre les tortionnaires de la police et de l'armée. On ne la visite pas car c'est maintenant une caserne.

Castillo San Salvador de la Punta. Forteresse de la fin du XVIᵉ siècle. La marine cubaine y est installée.

Castillo de Atarés. Forteresse espagnole de 1763, située entre la gare et le port de pêche.

Castillo del Príncipe. Vue magnifique de cette forteresse sur La Havane.

Plaza de Armas. Une des plus belles places de La Havane, dans le vieux quartier. On l'appelle aussi place Carlos Manuel de Céspedes. Voir l'ancien palais des capitaines généraux, transformé en musée, et le temple El Templete.

Museo Histórico. Le musée historique de La Havane a été aménagé dans l'ancien palais des capitaines généraux, construit en 1780. Charmant patio tropical orné de palmiers, bananiers et papayers. Voir l'intéressante rétrospective de la lutte des Cubains pour leur indépendance. Ouvert du mardi au samedi, de 14 h 30 à 18 h 30 et de 19 à 22 h, et le dimanche, de 15 à 19 h.

111

El Templete. La légende veut que le petit temple de la Plaza de Armas ait été édifié à l'endroit même où fut célébrée, en 1519, la première messe à La Havane. Les os de Christophe Colomb y auraient été enterrés avant d'être transférés ailleurs. Voir à l'intérieur trois peintures de Vermay, élève de David.

Cathédrale. Construite par les jésuites, en 1704, c'est un des plus beaux exemples de l'architecture religieuse hispano-américaine. La façade toscane est flanquée de deux tours. Dans l'une des deux, une petite cloche fabriquée, en 1664, à Matanzas, et une plus grande fabriquée, en 1698, en Espagne. La cathédrale est dédiée à San Cristobal, le patron de La Havane. Elle est ouverte du lundi au vendredi, de 9 à 11 h 30, et le samedi, de 15 h 30 à 17 h 30.

Iglesia de San Francisco. Construits en 1608, puis reconstruits en 1737, l'église et le couvent de San Francisco forment un ensemble austère. La tour servait jadis de point de repère aux voyageurs et la vigie permettait de signaler à la population l'approche des pirates. L'église est devenue un entrepôt de légumes et le couvent, un magasin d'antiquités. Celui-ci est ouvert du lundi au vendredi, de 8 à 11 h 30 et de 13 à 16 h 30, et le samedi, de 8 à 11 h 30.

Convento de Santa Clara. Couvent construit en 1635 pour les sœurs Clarisse. Voir le patio colonial, la première fontaine publique de La Havane, les cellules des religieuses et le petit cimetière.

Iglesia La Merced. Belle église de la seconde moitié du XVIIIᵉ siècle.

Iglesia El Santo Angel Custodio. Construite par les jésuites en 1672, cette église a des tours gothiques et dix chapelles. Elle est située sur une hauteur, à proximité de la rue Peña Pobre, la plus étroite de La Havane.

Museo Nacional. Installé dans les salles du palais des Beaux Arts, le musée national abrite des collections d'antiquités classiques, des sculptures, des toiles modernes et une large collection de souvenirs des luttes pour l'Indépendance de Cuba. Ouvert du mardi au samedi, de 13 à 20 h 30, et le dimanche, de 9 à 12 h 30.

Capitolio. Inauguré en mai 1929, le capitole de La Havane ressemble à celui de Washington. Sous la coupole est conservé un diamant de 24 carats, point zéro pour toutes les distances à Cuba. Salles et escaliers somptueusement décorés. L'édifice abrite aujourd'hui le musée de Sciences Naturelles, ouvert du mardi au samedi, de 14 à 21 h 30, et le dimanche, de 14 à 18 h.

Museo de la Revolución. L'ancien palais présidentiel de Batista, construit en 1922, abrite aujourd'hui le musée de la Révolution. Nombreux souvenirs et témoignages sur Fidel Castro et ses compagnons d'armes. On a gardé dans le parc le yacht *Granma*. Le musée est ouvert du mardi au samedi, de 13 à 19 h 30, et le dimanche, de 9 à 13 h.

Musée des Arts Décoratifs. Situé dans le quartier de Vedado (Calles 17 y E), c'est l'ancienne demeure d'une riche famille du XIXe siècle. Mobilier d'époque, lustres, argenterie. Ouvert du mardi au samedi, de 13 à 21 h et le dimanche de 9 à 13 h.

Maison natale de Martí. Charmante petite maison bleue et blanche, à proximité du port, où naquit José Martí, le 28 janvier 1853. Le héros national de Cuba y passa les quatre premières années de son existence. Sa famille était installée au premier étage, dans un modeste appartement de deux pièces. Au rez-de-chaussée vivaient un officier espagnol et sa famille. Nombreux souvenirs de Martí, photos de trois sœurs mortes, la même année, de crise cardiaque, le seul portrait à l'huile connu de lui, dû à un artiste suédois. Patio. Visite du mardi au dimanche, de 9 à 16 h 45.

Museo Napoleónico. Un admirateur de Napoléon I passa son existence à rassembler des souvenirs sur l'empereur des Français. Situé calle Ronda, près de l'Université, le musée est ouvert du mardi au samedi, de 13 à 21 h, et le dimanche, de 9 à 13 h.

Museo Colonial. Ouvert du mardi au samedi, de 13 à 21 h, et le dimanche, de 9 à 13 h.

Pabellón Cuba. Installé dans le quartier moderne de Vedado, entre l'hôtel Habana Libre et l'hôtel Capri, ce bâtiment orné de plantes tropicales est le siège d'expositions permanentes.

Parque Lenin. Inauguré en 1972, à l'extérieur de La Havane, ce parc de 670 ha a été entièrement conçu et réalisé par le gouvernement de Fidel Castro. Amphithéâtre (2 400 places), aquarium, bibliothèque de plein air, école d'équitation, terrains de sport, marionnettes, atelier de céramique, chemin de fer pour enfants (9 km), bar et restaurants.

Palais des Congrès. Construit pour la 6e Conférence au sommet des Pays non Alignés (septembre 1979), ce palais est un des plus modernes du genre en Amérique latine. Auditorium de 1 700 places.

Plaza de la Revolución. Il est presque inutile d'ajouter à cette liste la place de la Révolution qui est mondialement connue. Plus vaste que la Concorde, à Paris, elle peut contenir plus d'un million de personnes. Fidel Castro y prend traditionnellement la parole aux grandes occasions. La colonne en pierre blanche a été construite à la mémoire de José Marti.

Excursions

San Francisco de Paula. Localité située à quelques kilomètres au Sud-Est de La Havane. Elle doit sa renommée à la maison d'Ernest

Hemingway (1898-1961). Le célèbre romancier américain y vécut vingt et un ans. C'est là qu'il rédigea notamment « *Le vieil homme et la mer* » (1952). Ami personnel de Fidel Castro, il fut parmi les premiers à soutenir la Révolution cubaine. Transformée en musée, la maison d'Hemingway est ouverte du mardi au samedi, de 9 à 12 h et de 13 à 17 h, et le dimanche, de 9 à 13 h. Prendre le train ou le bus n° 7 du Capitole.

Guanabacoa. Ville coloniale à 5 km à l'Est de La Havane. Monastère de San Francisco, église paroissiale. Le musée historique est ouvert du mardi au samedi, de 16 à 22 h, et le dimanche, de 12 à 18 h. Voir également le théâtre Carral. Prendre le train ou le bus.

Santa María del Rosario. Fondée en 1732, la ville est située à 16 km à l'Est de La Havane. Voir l'église de la fin du XVIIIe siècle et ses toiles dont une de Véronèse. Prendre le bus n° 97 à Guanabacoa.

Alamar. Une fois terminée, cette ville-satellite, à une vingtaine de kilomètres à l'Est de La Havane, abritera 130 000 personnes. On y prévoit la construction de 30 écoles primaires, maternelles, plusieurs collèges secondaires ainsi que des centres commerciaux et culturels. Un des orgueils de la Révolution cubaine. La ville est située au bord de la mer. Prendre le bus.

Cojimar. Entre La Havane et Alamar, le petit port de Cojimar s'est spécialisé dans la pêche aux requins. Hemingway le rendit célèbre en y situant son roman « *Le vieil homme et la mer* ». Monument à la mémoire de l'écrivain américain. Prendre le bus.

Cuevas del Cura. Grottes pittoresques. Prendre le train jusqu'à San Miguel ou Jaruco, puis louer une voiture.

Plages. Les plages les plus fréquentées par la population de La Havane s'échelonnent sur une dizaine de kilomètres à l'Est de la ville : *El Megano, Santa Maria del Mar, Boca Ciega* et *Guanabo*. Sable fin, pinèdes. Nombreux motels, bars, restaurants et centres de loisirs. La mer est splendide, les lieux sont peu fréquentés en semaine et la langouste excellente. A l'Ouest de La Havane, toujours sur la côte Nord, les plages les plus connues sont *Jaimanitas, Barlovento* et *Santa Fé*.

Pour ceux qui souhaitent connaître les plages de la côte Sud, *El Cajío* et *Surgidero de Batabanó*, sont, avec *Guanimar*, les plus populaires. De Surgidero de Batabanó, on peut se rendre en hydroglisseur à l'île des Pins.

Escuela Lenin. Située à une vingtaine de kilomètres de La Havane, cette école secondaire extrêmement moderne a été inaugurée en janvier 1974. L'ensemble est remarquable. Plus de 20 bâtiments destinés à recevoir quelque 4 500 élèves, un cinéma de 450 places, 2

amphithéâtres, un musée, treize ateliers, un circuit fermé de télévision, 72 laboratoires fournis par l'U.R.S.S., 20 terrains de sports, 3 gymnases, 2 piscines olympiques. Visites sur autorisation.

Bejucal. Fondée en 1714 par le propriétaire d'une plantation, qui reçut le titre de marquis de San Felipe y Santiago, la ville de Bejucal célèbre chaque année une des fêtes populaires les plus anciennes de Cuba : les *Charangas*. A l'époque du Carnaval, un concours de chars fleuris et de danses se déroule sur la place de l'église entre deux grands ensembles folkloriques : *Espina de Oro* et *Ceiba de Plata*. Jadis, le premier représentait les « Rouges », c'est-à-dire les Espagnols et leurs alliés, et le second les « Bleus », c'est-à-dire les esclaves et les créoles.

El Trópico. Centre balnéaire à une soixantaine de kilomètres à l'Est de La Havane. Bungalows, salle de loisirs, magasin, bar, sports nautiques, équitation.

Ile des Pins. Des liaisons aériennes quotidiennes sont assurées à partir de La Havane (40 mn de vol). Mais il est possible de se rendre par bateau à l'île des Pins, à partir du port de Surgidero de Batabanó, sur la côte Sud de la province. Durée de la traversée : 2 h en hydroglisseur ou 6 h.

Hôtels

Capri. Calles 21 et N, Vedado. Tél. 32 0511. 220 chambres climatisées, salle de bains, téléphone. Restaurant, bar, caféteria, cabaret. Librairie, bureau de tabac. Piscine sur la terrasse. De 25 à 31 P.

Habana Riviera. Paseo et Malecón, Vedado. Tél. 30 5051. 360 chambres climatisées, salle de bains. Restaurant, bar, magasins. De 25 à 31 P.

Habana Libre. Calles L et 23, Vedado. Tél. 30 5011. 568 chambres climatisées, salle de bains, téléphone, radio. Salon de coiffure, agence de voyages, bureau de postes, pharmacie, librairie, deux restaurants, caféteria, 2 bars, cabaret, salles de conférence, bureau de tabac, magasins. Piscine. De 20 à 30 P.

Nacional. Calles 21 et 0, Vedado. Tél. 7 8981. 360 chambres climatisées, salle de bains, téléphone, radio. Salon de coiffure, agence de voyages, deux restaurants, trois cafeterias, trois bars, cabaret, bureau de postes, médecin, boutique hors taxe. Piscine. Solarium. Beau jardin sur la mer. De 19 à 24 P.

Vedado. Calle 0, nº 244, Vedado.

Victoria. Calles 19 et M, Vedado. 32 chambres. De 12 à 16 P.

Sevilla. Tél. 6 9961. 196 chambres climatisées, salle de bains, téléphone. Restaurant, bar, caféteria. De 11 à 14 P.

Deauville. Calles Galiano et Malecón. Tél. 61 6901. 143 chambres *115* climatisées, salle de bains, téléphone, radio. Restaurant, bar, cafétéria. Magasin hors taxe. Piscine sur la terrasse. De 11 à 14 P.

Bristol. Calles San Rafael et Amistad. Tél. 61 9944. 124 chambres. De 6 à 11 P.

Lincoln. Calles Galiano et Virtudes. Tél. 61 7961. 140 chambres. De 5 à 7 P.

Alamac. Galiano 308. Tél. 61 6971. 50 chambres. De 3 à 5 P.

En principe, les touristes étrangers qui voyagent à titre individuel doivent avoir une réservation de l'agence gouvernementale de tourisme avant de se rendre dans un hôtel.

Aéroport José Marti (La Havane) : s'adresser à l'hôtesse de Cubatur.

En ville : s'adresser à Cubatur. Calle 23, n° 156, Vedado. Bureaux ouverts du lundi au vendredi, de 8 à 17 h, et le samedi, de 8 à 12 h.

Restaurants

Bodeguita del Medio. Empedrado 207, La Havane. Vieille taverne rustique du quartier colonial, à deux pas de la cathédrale. Rendue célèbre par le poète cubain Nicolas Guillén et le romancier américain Ernest Hemingway. Lieu fréquenté par les intellectuels et les artistes. Joli patio. Tables en bois, photos dédicacées sur les murs. Musiciens. Excellente cuisine cubaine.

Capri. Calle 21, esquina N, Vedado. Restaurant et cafétéria ouverts au public à l'hôtel Capri, dans le quartier de Capri.

El Conejito. Calle M, à l'angle de calle 17, Vedado. Décor anglais de l'époque victorienne. Restaurant de luxe.

Emperador. Edificio Focsa. Calle 17, esquina M. Très beau restaurant. Décor à l'ancienne. Garçons stylés, excellente cuisine.

Floridita. Calle Monserrato, esquina Obispo. Situé près du parc central, ce restaurant est renommé pour ses *daiquiris*.

La Torre. Edificio Focsa. Calle 17, esquina M. Vue imprenable de sa terrasse sur La Havane. Restaurant de luxe fréquenté par les diplomates et les invités du gouvernement. Excellente cuisine. Bar.

Las Ruinas. Parc Lénine. Restaurant construit sur les ruines d'une maison coloniale dans le parc Lénine. Vitraux de l'artiste cubain Portocarrero. Belle végétation.

Monseigneur. Calle 21, esquina O, Vedado. Très cher. Restaurant de luxe entre l'hôtel Capri et l'hôtel Nacional. Orchestre.

Moscú. Calle P, entre 23 et 25, Vedado. Restaurant de 400 couverts, dans le quartier de Vedado. On y mange notamment des plats russes, georgiens et ukrainiens. Orchestre de danse et spectacle le soir.

El Cochinito. Calle 23, Vedado.

Rancho Luna. Calle L, à l'angle de calle 15, Vedado.

Rancho Luna. Calle 23 et G, Vedado.

Centro Vasco. Calle 3ra et 4, Vedado.

Montecatini. Calle J et 15, Vedado.

La Barca. Av. 5ta et calle 448, Alturas de Boca Ciega.

Caribe. Av. Terraza et Terraza 3, Centre.

Trópico. Av. Terraza et Terraza 8.

Mar Azul. Av. 2da et 1ra, Boca Ciega.

Pino Mar. Av. Azul et Terraza 5.

Trebol. Vía Blanca et calle 11.

Al Mare. Av. 5ta s/n, à l'angle de calle 482, Guanabo.

Nacional. Calle 0, esquina 21. Bons restaurants à l'hôtel Nacional, ouverts au public.

Restaurante 1830. Tunnel du Malecón. Situé dans un jardin, ce restaurant de luxe est très fréquenté.

La Roca. Calle 21, esquina M.

Las Bulerias. Calle L entre 23 et 25.

La Carreta. Calle 21 entre J et K.

Carmelo 23. Calle 23 entre H et G.

Carmelo Calzada. Calle Calzada.

El Patio. Plaza de la Catedral. Restaurant de luxe dans le vieux quartier.

Potín. Calle Linea y Paseo.

El Jardín. Calle Linea, Vedado.

Pio-Pio L. Calle L y 17.

Pio-Pio G. Calle 23 y G.

Habana Libre. Calle L, esquina 23, Vedado. Bons restaurants à l'hôtel Habana Libre, ouverts au public.

Riviera. Paseo y Malecón, Vedado. Restaurants à l'hôtel Riviera.

Rio Cristal. Rancho Boyeros km 8 1/2. Un des endroits les plus agréables de La Havane. Deux restaurants dont l'un à ciel ouvert, bar, salle de danse, play-ground. Piscine. L'ensemble est situé dans un très beau parc tropical agrémenté d'un lac.

Polinesio. Calle 23, à l'angle de M et L, Vedado.

El Colonial. Pepe Antonio et Máximo Gómez, Guanabacoa.

El Mandarín. Calle 23, à l'angle de Calle M, Vedado. Cuisine chinoise.

Yanatse. Calles 23 et 26, Vedado. Cuisine chinoise.

Cabarets

Salón Capri. Calle 21, esquina N, Vedado. Tél. 32 0511. Cabaret contigu à l'hôtel Capri. Le spectacle n'est pas le meilleur de La Havane mais, généralement animé par un excellent orchestre, l'ambiance de la salle a l'avantage d'y être plus populaire qu'ailleurs.

Habana Libre. Calles L y 23, Vedado. Tél. 30 5011. Outre le bar musical du rez-de-chaussée, et le *Turquino Bar* au dernier étage, l'hôtel Habana Libre a un excellent night-club, le *Caribe*. Deux spectacles. Orchestres de danse.

Parisien. Hôtel Nacional, Calles 21 y 0, Vedado. Installés à l'hôtel Nacional, dans le quartier de Vedado, deux cabarets (le *Parisien* est très coté). Ils font salle comble tous les soirs. Spectacles, orchestres de danse.

Salón Copa. Paseo y Malecón, Vedado. Tél. 30 5051. Cabaret à l'hôtel Riviera : le *« Copa Room »*. Orchestre de danse. Spectacle. .

Tropicana. Calle 72, n° 4504, Marianao. C'est, dit-on, le plus grand night-club des Caraïbes. La scène est installée sous des arbres gigantesques et se prolonge par des escaliers et des passerelles sur lesquels évoluent plusieurs centaines d'artistes. Super-show à l'américaine, le spectacle mérite d'être vu. En cas de mauvais temps, une salle immense peut accueillir le public. Orchestres de danse. Entrée : 25 P ; consommation : 10 P.

El Pico Blanco. Hôtel St-John's, Calle 0 à l'angle de 23 y 25, Vedado. Night-club au dernier étage de l'hôtel St-John's.

Scherezada. Calle M y 19, Vedado.

La Red. Calle 19 y L, vedado.

El Cocktail. Calle 23 y N, Vedado.

Karachi. Calle 17 y K, Vedado.

Barbaram. Calle 26, n° 1306, Vedado.

Rincón Azul. Av. 1ra s/n, à l'angle de 484 y 486, Guanabo.

Tokyo. Av. 5ta, à l'angle de 470, Guanabo.

Cabaret Habana Club. Calle 10, n° 91 à l'angle de 1ra à 3ra.

Cabaret Pino Mar. Av. Azul y Terraza 5.

Il convient de faire ses réservations un ou deux jours à l'avance. Cabarets et night-clubs de La Havane, en effet, sont toujours pleins et il est hasardeux de s'y rendre à la dernière minute sans avoir retenu sa place.

Magasins

Artisanat. Il n'est pas très facile de trouver, à La Havane, des objets d'art populaire tels que bibelots, poupées, statuettes. Leur qualité est d'ailleurs quelconque. Visiter le magasin de la calle Cuba, N° 64. Il est ouvert du lundi au vendredi, de 8 à 12 h et de 13 à 17 h, et le samedi, de 8 à 12 h.

Disques et livres. C'est encore à la librairie du Habana Libre, à la droite de l'hôtel avant d'accéder à la porte d'entrée, que vous trouverez le plus grand choix de disques et de livres. Ils sont beaucoup moins chers qu'en France.

Œuvres d'art. Allez à la Galeria del Grabado, sur la place de la Cathédrale. Elle est ouverte du lundi au samedi, de 14 à 19 h. Vous y trouverez des lithographies et d'autres œuvres d'art que vous pourrez acheter directement aux artistes.

Magasins hors taxes. La plupart des grands hôtels ont des magasins hors taxes. Les mieux achalandés sont le Deauville, le Habana Libre et le Riviera. Vous y trouverez non seulement des articles importés de l'étranger, mais encore des produits cubains, y compris de l'artisanat.

Distances

	La Havane
Aéroport international Jose Marti	17 km
Alamar	18 km
Batabanó.	55 km
Cojimar.	9 km
Guanabacoa	5 km
Güines.	52 km
San Francisco de Paula.	8 km
Santa Maria del Rosario	16 km
Surgidero de Batabanó	60 km

Plages

Playas del Este

Nous donnons ici la liste des principaux hôtels et restaurants des quatre plages qui s'échelonnent sur 10 km à l'Est de La Havane. La plupart des hôtels sont réservés en priorité aux Cubains.

Plage El Mégano

Hôtels

Canañas El Mégano. Motel confortable.

Hôtel Marazul, avenida de Las Terrazas et Calle 7.

Restaurant

Cabaret Pinomar, avenida Sur, entre Terraza 4 et Terraza 5.

119

Plage Santa Maria del Mar
Hôtels
Hôtel Marazul
Hôtel Atlántico, avenida de Las Terrazas s/n et Terraza 11.
Restaurants
La Goleta, avenida Las Terrazas, entre Calle 13 et Calle 14.
El Caribe, avenida de Las Terrazas, angle de Calle 13.
Trópico, avenida de Las Terrazas, angle Calle 9.

Plage Boca Ciega
Hôtel
Hôtel Mar Bella, avenida 9.
Restaurants
América, angle Vía Blanca et 462.
La Barca, angle 5ta Avenida et 448.
El Gato Verde, calle 456 A, entre 15 B et Via Blanca.
Mar Azul, entre Calle 434 et Avenida 3ra.

Plage Guanabo
Hôtels
Motel Cabanas Cuanda's, Calle 472, entre 5 D et Avenida 7.
Motel Cabañas Playa Hermosa, 5ta Avenida, entre 472 et 474.
Motel Gran Via, 5ta Avenida, angle Calle 462.
Hôtel Bellamar, 5ta Avenida, angle Calle 466.
Hôtel Las Avenidas, 5ta Avenida, entre 478 et 480.
Motel Los Pinos, Av. Terraza 21.
Hôtel Maria, 5ta Avenida, entre 484 et 486.
Hôtel Miramar, Calle 7 B, entre 476 et 478.
Hôtel Montecarlos, Calle 480.
Motel Residencial del Mar, Calle 466, entre Avenida 13 et Avenida 15.
Hôtel Vía Blanca, 5ta Avenida, entre 486 et 488.
Hôtel Bacuranao, Carretera b Vía Blanca km 15 1/2.
Restaurants
La Cocinita, 5ta Avenida, entre 478 et 480.
Al More, 5ta Avenida, angle Calle 482. Pizzeria.
Playa Liba, 5ta Avenida, entre 464 et 466.
Costa Azul 1, Calle 472. Cafétéria.
Costa Azul 2, Calle 476, Cafétéria.
Costa Azul 3, Calle 482. Cafétéria.
Cuba, 5ta Avenida, entre Calle 482 et Calle 484. Cafétéria.

Jibacoa

Jibacoa Reparto. Centre balnéaire réservé aux étrangers. Bungalows, restaurant, bar, discothèque, magasin. Sports nautiques.

Jibacoa Villa Loma. Motel. Santa Cruz del Norte.

El Trópico. Motel. Vía Blanca y límite de Santa Cruz.

L'île des Pins

Plusieurs fois par jour, des *Antonov,* de fabrication soviétique, relient en quarante minutes La Havane à l'île des Pins. Deuxième île en importance de l'archipel cubain, elle a 2 199 km² soit un peu moins que la superficie du Grand Duché du Luxembourg. Administrativement ce n'est pas une province mais une « commune spéciale ».

L'avion survole à basse altitude le golfe de Batabanó dont les centaines d'îles et d'ilots, les *cayos,* forment des chapelets vert foncé dans la mer. L'ensemble constitue l'archipel des Canarreos.

Les eaux sont peu profondes entre l'île de Cuba proprement dite et l'île des Pins, située au Sud. L'hydroglisseur, également de fabrication soviétique, qui fait le trajet en deux heures, à partir de Surgidero de Batabanó, au Sud de la province de La Havane, est obligé d'emprunter un chenal étroit pour ne pas rester paralysé par les algues. Il remonte une petite rivière avant de débarquer ses passagers à Nueva Gerona, la capitale de l'île. D'autres bateaux, de mille passagers, assurent en six heures la liaison maritime.

Jadis repaire des flibustiers qui sillonnaient les Caraïbes, pour attaquer les galions espagnols chargés d'or et d'argent, puis centre de déportation, l'île des Pins, ronde et plate comme une galette, est, depuis la Révolution, l'**île de la Jeunesse.** C'est aujourd'hui son nom officiel. Au cours de son histoire, elle en reçut beaucoup d'autres. Les Indiens Siboneyes l'appelèrent *Camargo, Camarico* ou *Camaraco ;* les Tainos lui donnèrent, quant à eux, le nom de *Siguanea.* Christophe Colomb la dénomma l'*Evangéliste.* Mais, ce fut Robert Louis Stevenson qui la rendit mondialement célèbre en intitulant un de ses livres *« L'île aux Trésors ».*

Christophe Colomb y aborda en juin 1494, lors de son second voyage en Amérique. Les derniers Indiens Siboneyes avaient quitté les lieux deux cents ans plus tôt. Ils laissèrent des traces de leur passage : des peintures dans deux grottes du Sud-Est de l'île. Ce sont les plus nombreuses et les plus complexes de la préhistoire cubaine. Ces pictographies noires et rouges, endommagées par des visiteurs *121* occasionnels et un charbonnier qui vécut une trentaine d'années dans la **Cueva de Punta del Este,** furent découvertes, au début du XXe siècle. Leur signification reste mystérieuse. On sait tout au plus que les Siboneyes mangeaient la chair des coquillages, qui pesaient parfois 300 g. Ils se servaient de la coque comme instrument de travail. Pacifiques, d'origine incertaine, ils parlaient une langue distincte de toutes les langues des Antilles.

Les Espagnols laissèrent longtemps à l'abandon l'île qui avait pourtant été découverte dès la fin du XVe siècle. Ils ne se décidèrent à y construire la première ville, Nueva Gerona, qu'en l'an 1830. Très vite, ils firent des lieux un centre de déportation pour les opposants au régime colonial. José Marti, l'apôtre de l'Indépendance, y fut assigné à résidence en 1870. On peut visiter sa maison dans la Sierra de Las Casas.

Par la suite, au début du XXe siècle, les Etats-Unis s'y établirent et en firent une colonie. Ils avaient réussi, en 1898, à exclure l'île des Pins du traité de Paris, qui consacrait l'Indépendance de Cuba, en faisant valoir que la colonie espagnole n'était pas un archipel mais une île. En 1925, cédant aux pressions cubaines, ils reconnurent officiellement la souveraineté de Cuba sur l'île des Pins.

Sur ce territoire de 54 km sur 58, cassé par une dépression marécageuse où pullulent les crocodiles, la **Ciénaga de Lanier,** trois petites chaînes de montagnes, dont la plus élevée n'a que 310 m, donnent au paysage de l'île un aspect par endroits surélevé. Ce sont des blocs de marbre, une des principales richesses de l'île. *« Quand les enfants gaulent des fruits,* disent les habitants, *ce ne sont pas des pierres qu'ils lancent mais des morceaux de marbre. »* Jadis les forêts de pins y étaient nombreuses, d'où le nom de l'île. Décembre est le mois le plus sec de l'année.

Du marbre, de l'or, du tungstène : le sous-sol est riche. La végétation y est peu luxuriante. Pourtant, on y voit beaucoup de perruches *(cotorras)* et des pélicans. Au large de la côte, qui fait plus de 320 km de pourtour, les pêcheurs de langoustes et d'éponges sont actifs.

Condamné à quinze ans de travaux forcés, après l'attaque de la caserne de Moncada, à Santiago de Cuba, Fidel Castro fut envoyé dans le pénitencier de l'île des Pins. Il y resta dix-neuf mois jusqu'en 1955, date à laquelle, convaincu qu'il n'y avait plus d'opposition dans le pays, le dictateur Batista amnistia les détenus politiques.

Inauguré en 1928, le pénitencier se compose de quatre énormes bâtiments circulaires, de plusieurs étages, dont chacun a une centaine de cellules. Au centre des patios intérieurs, une tourelle à laquelle les gardiens accédaient par un passage souterrain. Ceux-ci n'avaient donc aucun contact direct avec les prisonniers. D'autres bâtiments étaient

L'ÎLE DES PINS

N

GOLFE DE BATABANO

ARCHIPEL
DE LOS CANARREOS

Échelle

0   5km   10

Route principale
Route secondaire
Ville
Village

Punta de los Barcos

Playa Bibijagua

Jucaro

NUEVA GERONA

Barrage
du Viêt-nam Héroïque

Tomas

Santa Barbara

Delita

Casa de Botes

Playa de Corcobao

El Grullo

SANTA FE

San Juan

Santa Isabel

Torres

San Pedro

Siguanea

Reparto Isla del Tresoro

Playa Roja

Anse de la Siguanea

Cap Frances

Cocodrilo

Carapachibey

Guayacanal

La Puntilla

Punta del Este

MER DES CARAÏBES

C i é n a g a   d e   L a n i e r

© Delta

réservés à la cantine, à l'infirmerie et aux services administratifs. Le tout était protégé par de hautes murailles et des miradors. Personne ne pouvant s'en échapper. A la veille de la Révolution, on y comptait quelque 4 000 détenus. Aujourd'hui, les lieux sont déserts. Seuls des guides montrent aux visiteurs les parties les plus intéressantes du pénitencier, notamment les cellules de Fidel Castro et de ses camarades.

En 1959, 11 000 habitants à peine vivaient à l'île des Pins. Leur condition était misérable. Ils ne disposaient en tout et pour tout que d'une demi-douzaine de médecins, trois dentistes, deux cents téléphones à manivelle et deux autocars. Il y avait davantage d'églises que d'écoles : onze (une par secte religieuse) dans un seul village de l'intérieur, pour une seule et unique école primaire. Sur la plus belle plage du Sud-Ouest de l'île, à 41 km de Nueva Gerona, les millionnaires Nord-américains s'étaient fait construire un hôtel et un aérodrome privé, inaugurés quelques jours à peine avant le triomphe de la Révolution.

Fidel Castro voulut faire de l'île des Pins une expérience unique en son genre en Amérique latine. Il incita la jeunesse à former des brigades de volontaires pour arracher l'île au sous-développement en menant une vie communautaire. Des milliers de Cubains auxquels se joignirent des jeunes du monde entier répondirent à son appel. Travail volontaire, éducation spartiate, vie collective, logements, transports et loisirs gratis, telles étaient quelques-unes des caractéristiques de cette nouvelle société fondée sur les stimulants moraux et non pas sur l'argent. L'expérience fut partiellement abandonnée par la suite, mais elle eut le mérite de galvaniser la jeunesse dès les premières années de la Révolution. Elle reste un symbole.

Aujourd'hui, l'île de la Jeunesse est en plein essor. Plus de 50 000 habitants y sont installés. Ecoles secondaires (une soixantaine), hôpitaux, fabriques de conserves, plantations de pamplemousses et de concombres, pâturages et une vingtaine de réservoirs ont modifié le paysage. Une station de radar extrêmement puissante, pour étudier les phénomènes météorologiques, a même été construite dans le Sud-Est de l'île.

Grâce à sa situation exceptionnelle dans la mer des Caraïbes, l'île de la Jeunesse est un des très rares endroits du globe terrestre d'où l'on peut voir, en même temps, l'Etoile Polaire, dans l'hémisphère Nord, et la Croix du Sud, dans l'hémisphère Sud. Les nuits y sont d'une limpidité sans égal.

Depuis fin 1981, une base de plongée sous-marine est installée sur le site de l'Hôtel Colongo dans le Sud-Ouest de l'île. Parfaitement équipée de matériel français, elle est ouverte aux amateurs pour des séjours de deux semaines (environ 7 500 F pension complète).

Excursions

Nueva Gerona, la capitale, est une petite ville paisible. Il ne faut pas manquer de visiter le musée, installé dans un ancien temple protestant. Vous y admirerez les reproductions des pictographies indiennes découvertes dans les grottes de l'île. Outre des documents historiques sur les pirates, une collection d'oiseaux empaillés, des photos et des graphiques sur la Révolution, vous pourrez visiter le planétarium et admirer dans tous ses détails le ciel des Caraïbes.

A quelques kilomètres de Nueva Gerona, le célèbre *pénitencier* de l'île est ouvert au public. Indispensable pour connaître les origines de la Révolution cubaine.

Ne pas manquer de voir non plus la maison **El Abra,** dans la Sierra de Las Casas. José Martí y fut assigné à résidence en 1870.

Toujours dans les environs, à 8 km au Nord-Est de Nueva Gerona, la plage de **Bibijagua** est célèbre pour la couleur de son sable. Il est noir.

Enfin, il ne faut pas repartir sans voir un des hauts lieux de la civilisation des Indiens Siboneyes. Ce sont deux grottes situées au Sud-Est de l'île : la **Cueva de Punta del Este** et la **Cueva de Caleta Grande.** Les Cubains découvrirent dans la première plus de 200 dessins et peintures antérieurs à l'arrivée de Christophe Colomb.

Punta del Este et **Playa Larga** sont les deux plages principales de l'île. Elles ont 15 km de long.

Hôtels

La Cubana. Calle 39, n° 1417, à l'angle de calle 18, Nueva Gerona.

Rancho El Tesoro. Reparto Brazo Fuerte, dans les environs de Nueva Gerona.

Las Codornices. Carretera La Fé, km 3. A proximité du réservoir de La Guanabana. Bungalows climatisés, salle de bains, télévision, réfrigérateur. Restaurant, bar. Piscine.

Colony. A La Siguanea, sur la côte Sud-Ouest. Très belle plage de sable fin, cocotiers, palmiers. Hôtel construit à la veille de la Révolution, à proximité d'un terrain d'aviation spécialement aménagé pour les touristes. 24 bungalows climatisés, salle de bains, téléphone, radio. 59 chambres climatisées, salle de bains, téléphone, radio. Restaurant, bar, cafétéria et cabaret. Boutiques. Salon de coiffure. Piscine. Plongée sous-marine.

Restaurants

El Corderito. Calle 39 et 22, Nueva Gerona.

El Cochinito. Calle 39 et 24, Nueva Gerona.

Pizzeria Isola. Calle 35 entre 28 et 30, Nueva Gerona.

Hôtel Las Codornices. A proximité du réservoir de La Guanabana. Bon restaurant.

Hôtel Colony. A Siguanea, sur la côte Sud-Ouest. Très bon restaurant.

Pour toute information supplémentaire, s'adresser à : *Empresa Turística,* Isla de Pinos, calle 39, n° 2020, à l'angle de 20 et 22, Nueva Gerona.

Pinar del Rio et le tabac

Pinar del Rio est la province la plus occidentale de Cuba. Et l'une des plus belles. Verdoyante, ondulée comme les vagues de la mer, elle s'étire au milieu des palmiers et des plantations de tabac. La route principale, qui la traverse en arc de cercle, longe sur une trentaine de kilomètres la Sierra del Rosario. C'est dans cette région montagneuse, dont le point culminant ne dépasse guère 700 m, que l'U.R.S.S. installa, en 1962, des rampes de missiles à ogives nucléaires.

Les plantations de tabac y couvrent plus de 40 000 ha ; 3 000 *caballerias,* disent les Cubains, qui utilisent de préférence cette unité de mesure. Les pieds de tabac, de la hauteur d'un homme, ont chacun une vingtaine de feuilles. Alignés comme des soldats, ils forment de loin des tapis de couleur vert foncé qui montent à l'assaut des collines où se dressent des cèdres centenaires. C'est avec le bois de ces derniers que sont fabriquées les boîtes de cigares dont les étiquettes sont recherchées par les collectionneurs. Etonnant mariage de la nature ! Ici le tabac est roi et n'a jamais été détrôné par la canne à sucre.

Les marins de Christophe Colomb, qui débarquèrent sur la côte de Pinar del Rio, à la fin du XVe siècle, furent les premiers Européens à connaître l'arôme du tabac. *« Les Indiens ne se déplacent pas,* lit-on dans le journal du célèbre navigateur, *sans un tison à la main et sans les herbes dont ils ont l'habitude de goûter le parfum. »* Massacrés par les Espagnols, au temps de la conquête, puis décimés par les maladies, les Indiens ont disparu de toute la région des Caraïbes. Seul, le mot *caribal* ou *caribe,* c'est-à-dire « hardi », nous rappelle qu'ils furent valeureux.

Le meilleur filon de tabac noir, la **Vuelta Abajo**, descend, tel un filon aurifère, de Pinar del Rio, la ville principale, vers les villages de San Luís et San Juan y Martínez. Il faut sept heures de train pour couvrir les 200 km qui les séparent de La Havane. Le paysage des alentours y est reposant. C'est dans cette région qu'est installé, depuis quarante ans, le principal centre expérimental de la culture du tabac à Cuba. L'Etat en est aujourd'hui le propriétaire. Le tout se compose

d'un champ d'expérimentation, d'un laboratoire et d'une station météorologique. Au total, une quarantaine d'hectares sur lesquels travaillent trente-cinq techniciens et une centaine d'employés. Inutile de vouloir y entrer sans autorisation préalable.

Le centre est situé à proximité du village de San Juan y Martinez, à l'endroit précis où le sol présente des conditions exceptionnellement favorables à la culture du tabac noir, celui qui est réservé à la fabrication des cigares. On y entreprend des recherches qui, sur certains pieds, peuvent durer jusqu'à douze ans. Elles ont pour but de créer de nouvelles variétés. Travail lent et méticuleux. Le pied de tabac, en effet, est une plante difficile qui exige autant de soins que la vigne sinon davantage. Une main-d'œuvre abondante est nécessaire. Les semailles débutent en novembre et prennent fin en février. La récolte, qui se fait tous les cinq ou sept jours, dure de trois à quatre mois. Une fois terminée, il faut laisser la terre se reposer avant de recommencer à préparer le sol.

Avant la Révolution, Cuba produisait 960 variétés de cigares. Par souci d'économie, Fidel Castro voulut s'en contenter d'une seule ayant trois ou quatre formats différents. Mais, devant la chute des exportations, il dut revenir sur sa décision. Aujourd'hui, un des plus gros vendeurs de *havanes* du monde, Davidoff, n'hésite pas à affirmer : « *Les grandes marques qui étaient la propriété des Cubains : Partagas, Larrañaga, Hoyo de Monterrey, Upmann, etc... produisent, sous régie nationale, des cigares dont la qualité soutient aisément la comparaison avec les cigares de l'époque précastriste et qui parfois les dépassent, car la culture, en certains endroits, a été améliorée.* »

Habitué de La Havane, où Fidel Castro l'a reçu à diverses reprises, Davidoff est le fournisseur attitré de quelques-uns des rois du cigare en Europe. « *Savoir fumer,* dit-il, *c'est retrouver des rythmes oubliés, rétablir une communication avec soi-même.* »

Les Cubains fument en temps ordinaire jusqu'à douze cigares par jour. Mais la carte de rationnement, qui reste en vigueur, la *libreta,* ne leur permet d'acheter qu'une demi-douzaine de cigares par mois. Depuis que le gouvernement, voilà quelques années, a rétabli le marché libre pour ceux qui sont disposés à payer au prix fort le tabac et les alcools, ils peuvent en acquérir, dans des proportions raisonnables, à un prix cinq fois plus élevé. Les amateurs ne manquent pas, ni les débrouillards. Tout citoyen cubain a dans sa famille une mère, une épouse ou une sœur qui ne fume pas et lui cède sa quote-part de cigares. Beaucoup ont, en outre, des relations ou des amis qui travaillent dans les manufactures de tabac où ils bénéficient de privilèges.

Dans la rue, au bureau, dans les ascenseurs des hôtels ou des ministères, souvent munis d'un poste de radio qu'ils font hurler à tout propos, nombreux sont les Cubains qui déambulent en tenant, entre deux doigts un cigare de 14 cm — longueur moyenne — d'où ils tirent savamment des bouffées. Fidel Castro et *Che* Guevara ont fait du cigare le symbole de la Révolution.

Le cigare est fait à la main sur un établi d'ébéniste. A la différence de la cigarette, sa production n'est pas mécanisée. Le cigarier sort la *cape* de tabac du linge humide dans lequel elle a été placée. Il l'étend sur sa planchette, l'étire et en coupe les rebords. Ensuite il roule la *tripe* avec soin, la mesure à l'équerre et la place dans la *cape*. Il a fait ce qu'on appelle le *canon*. Il lui reste à confectionner la *tête* et le *pied* puis à coller la *cape* avec une gomme spéciale.

Le travail du cigarier exige du doigté et de l'adresse. Et surtout une longue expérience qui se transmet généralement de père en fils. La moindre erreur de calcul dans la forme du cigare peut tout remettre en cause. D'habitude, un cigarier expérimenté met deux minutes pour accomplir son travail.

Attentif aux feuilles qu'il manipule, méthodique dans ses gestes, extrêmement précis, le travailleur des manufactures de tabac a toujours été un des éléments les plus combatifs de la classe ouvrière cubaine. A la suite d'une longue bataille, les cigariers réussirent en 1866 à imposer la pratique du « lecteur » à La Havane. Dix ans plus tard, ils étendirent cette expérience à toutes les fabriques du pays. Cette coutume est toujours en vigueur bien qu'elle soit progressivement remplacée par l'écoute de la radio ou l'usage du haut-parleur. Elu et rétribué par ses camarades d'atelier, le « lecteur » lit à voix haute des poèmes et des romans pendant les heures de travail. Cette institution originale facilita dans le passé la politisation des cigariers et l'organisation de grèves ou de débrayages contre les patrons. Un ancien lecteur, Lazaro Pena, a occupé ainsi, sous la Révolution, le poste de secrétaire général de la Confédération des Travailleurs Cubains.

En principe, un *havane* bien soigné se conserve quinze ans sans perdre ses qualités. D'après les cigariers de San Juan y Martínez, il faut néanmoins le fumer dans les quinze jours après sa fabrication, pour qu'il soit au meilleur de sa forme.

Le *tabaco,* c'est-à-dire le cigare, reste à Cuba le meilleur cadeau que l'on puisse offrir à un ami, surtout à la fin des repas. On l'appelle par sa marque. Le terme *havane* n'est employé qu'à l'étranger.

Contrairement à ce que l'on croit en Europe, la production du tabac à Cuba n'est pas entre les mains de l'Etat. En fait, ce sont les petits agriculteurs, à savoir les propriétaires privés, qui contrôlent plus de 80 % de la production. Pour le comprendre, il faut revenir un peu en arrière. A la différence de la plupart des pays latino-américains, les ouvriers agricoles cubains ont rarement fait de la propriété de la terre leur revendication principale. La Révolution n'eut donc pas trop de difficultés, à la suite de deux réformes agraires, à réduire considérablement la superficie des propriétés privées. Elle est aujourd'hui de 67 ha au maximum. Dans la province de Pinar del Rio, les *vegueros,* c'est-à-dire les planteurs de tabac, ont généralement 6 ou 7 ha. En considérant qu'un hectare a 40 000 pieds de tabac et que chaque pied peut fournir une demi-douzaine de cigares, un petit agriculteur a suffisamment de quoi vivre. Dans le pire des cas, il s'associe à d'autres planteurs pour former une coopérative de services ou de crédits.

Pour les amateurs de *havanes,* il est aussi important de connaître la province de Pinar del Rio que pour les amateurs de bon vin, le *Beaujolais.* Mais le paysage y est d'une telle douceur que tous les voyageurs étrangers, même les non-fumeurs, en reviennent ravis.

Excursions

Pinar del Rio. Capitale de la province (93 000 habitants), Pinar del Rio est située à 175 km de La Havane, au pied de la Sierra de los Organos. Elle offre peu d'intérêt.

Péninsule de Guanahacabibes. Creusée de grottes et de lagunes, cette péninsule reste d'accès difficile. La côte est bordée de falaises qui tombent à pic dans la mer.

Santo Tomás. Vous découvrirez, dans la commune de Sumidero, la plus grande caverne de Cuba : 25 km de galeries souterraines. Pour vous y rendre, empruntez la route qui va de Pinar del Rio à Matahambre.

Soroa. Pour ceux qui aiment la végétation tropicale dans toute sa splendeur, la localité de Soroa a l'avantage de ne se trouver qu'à 83 km de La Havane. Le climat y est frais et les montagnes propices à la promenade à cheval. Allez jusqu'aux collines La Vigia et Vista de Gavilan d'où vous apercevrez par temps clair la côte Nord, la côte Sud et les hauteurs de l'île des Pins. Très beau panorama. Vous pourrez admirer également le Salto de Soroa ; c'est une suite de cascades dans la forêt vierge. Visitez, enfin, une « ferme du peuple », la Granja Los Pinos, à 4 km du village de San Cristobal, si vous voulez connaître les techniques modernes de l'élevage et de l'agriculture à Cuba.

Vallée de Viñales. Au cœur de la Sierra de los Organos, la vallée de Viñales est une des merveilles naturelles de Cuba. Elle est jalonnée de monticules aux formes étranges, les *mogotes.* Si vous savez monter à cheval, profitez-en pour faire des excursions. A San Vicente, vous trouverez des sources d'eau sulfureuse. Non loin de là vous visiterez la Cueva del Indio (grotte de l'Indien), qui atteint de grandes profondeurs. On se promène en barque sur les cours d'eau souterrains. A quelques kilomètres, vous découvrirez une autre grotte : la Cueva de San Miguel. Enfin, vous pourrez escalader la colline du Paredón del Eco. L'écho y prend des proportions inhabituelles.

Maspotón. Région ouverte à la chasse, d'octobre à février : pigeon et canard sauvage. Située à 25 km au Sud de Los Palacios, elle s'étend sur un millier d'hectares.

Hôtels

Cabaña
Motel de Cabaña, construit par le gouvernement actuel. Bungalows avec air conditionné, salle de bains et téléphone. Restaurant. Plage de sable fin. Pêche sous-marine.

La Güira
Motel. Carretera La Güira km 4.

Maspotón
80 bungalows ouverts pendant la saison de la chasse (octobre à février). Restaurant, bar, armurerie, boutique.

San Diego
Motel du parc national de La Güira. Bungalows nichés dans les arbres. Restaurant, bar, cafétéria.

Soroa
Motel Soroa. Carretera Soroa km 8. Bungalows, restaurant (cuisine « criolla »), bar, cafétéria. Piscine olympique, éclairée la nuit. Playground pour les enfants. Magasins. Magnifique jardin d'orchidées. Promenades à cheval dans la Sierra del Rosario.

Vallée de Viñales
Motel los Jazmines, de construction moderne. Chambres et bungalows avec air conditionné, salle de bains, téléphone. Restaurant, cafétéria, boutique. Piscine. Très beau jardin.
Motel La Ermita. Km 3 Carretera Ermita. Chambres confortables. Deux piscines.
Rancho San Vicente. Km 35 Carretera Puerto Esperanza. Chambres confortables. Restaurant, piscine, eaux sulfureuses. Végétation luxuriante.

Restaurant
Rumayor. Km 1 Carretera Viñales.

Centres nocturnes
Cuevas del Indio. Km 35 Carretera Puerto Esperanza, Viñales.
Cuevas José Miguel. Km 24 Carretera Puerto Esperanza, Viñales.
Rumayor. Km 1 Carrétera Viñales.

Pour toute information supplémentaire, s'adresser à : *Empresa Turística Pinar del Rio, Maceo 114, Pinar del Rio. Tél. 3827.*

Distances

	Artemisa	Consolación del Sur	Guanajay	Los Palacios	Pinar del Rio	San Juan y Martinez	La Havane
	93						
	15	107					
	62	38	77				
	115	22	130	63			
	148	57	163		32		
	59	154	44	125	175	208	

Matanzas

Il domine de ses trois mètres le globe terrestre qui gît sur le sol. Du bras droit, il montre les terres qu'il découvrit pour le compte de l'Espagne : parmi elles Cuba. Christophe Colomb y mit les pieds, en octobre 1492, lors de son premier voyage dans le Nouveau Monde. Il fut émerveillé : *« Je n'ai jamais vu plus beau pays. Des feuilles de palmiers si grandes qu'elles servent de toit aux maisons. Sur la plage des milliers de coquillages nacrés. Une eau limpide. Et toujours la même symphonie étourdissante des chants d'oiseaux... »* Ce texte tous les petits Cubains l'apprennent par cœur à l'école.

Moulée dans le bronze, la statue du navigateur — la première qui fut érigée en Amérique latine — se dresse à Cárdenas, petite ville de la côte Nord de Cuba, dans la province de Matanzas. La Havane n'est pas loin : 160 km par la route. Jalonnées de maisons coloniales à arcades, qui datent du XIXe siècle, les rues sont étonnamment paisibles. On y entend sur l'asphalte le clac-clac des chevaux tirant de vieilles calèches où se prélassent les amoureux. Les rumeurs de la Révolution semblent lointaines bien que le chantier naval Victoria de Girón, nouvellement construit, ait la sonorité du futur.

Cárdenas est une ville historique. Vingt-deux ans après sa fondation, 600 mercenaires américains y débarquèrent, le 19 mai 1850, pour tenter d'annexer l'île de Cuba, qui était encore sous domination espagnole. A peine plus nombreux, les habitants écrasèrent les envahisseurs en quelques heures avec l'aide de l'armée. A cette occasion, ils hissèrent pour la première fois le drapeau national cubain.

Située entre la province de La Havane, à l'Ouest, et les provinces de Cienfuegos et Villa Clara, à l'Est, la province de Matanzas est à maints égards exceptionnelle pour les voyageurs étrangers qui veulent connaître à la fois l'histoire coloniale, les plages bordées de cocotiers, les plantations de canne à sucre, les marécages infestés de crocodiles et l'un des plus grands champs de bataille de l'Amérique latine.

Capitale de la province du même nom, Matanzas n'est pas nécessairement le centre d'excursions idéal pour rayonner dans la région. Construite au fond d'une baie, de part et d'autre de la rivière qui s'y jette, la ville n'a pas grand intérêt. Elle a l'avantage d'être située sur la Carretera Central, la route nationale qui relie La Havane à Santiago de Cuba, et de n'être qu'à 104 km de la capitale. Les femmes ont la réputation d'être parmi les plus belles du Cuba avec celles de Santiago. Ville de transit vers les plages de Varadero ou la baie des Cochons, elle ne laisse généralement guère le temps aux invités du gouvernement ou aux voyageurs de visiter le musée pharmaceutique qui est pourtant une curiosité. On y a réuni une intéressante collection d'instruments médicaux et de pots en faïence. La fortesse San Severino (XVIIe siècle), le musée de Matanzas, la cathédrale San Carlos (XVIIIe siècle) et l'église de Montserrat d'où l'on a une belle vue sur les environs sont les autres centres d'intérêt de Matanzas. Les jeunes passent souvent leurs soirées dans une grotte, transformée en discothèque, en bord de mer.

En fait, c'est à Varadero, sur la presqu'île de Hicacos, qu'il convient de séjourner pour parcourir la province de Matanzas. Les lieux sont, à tous points de vue, propices au tourisme. Les plages de sable fin s'étendent sur une quinzaine de kilomètres, les hôtels et les restaurants y sont nombreux, les distractions variées et les moyens de transport avec La Havane, qui se trouve à 142 km, aussi rapides que fréquents.

Avant la Révolution, les millionnaires américains de la Floride venaient passer leurs week-ends à Varadero. L'aéroport construit à leur intention a servi pendant de longues années à évacuer vers Miami les dizaines de milliers de Cubains qui ont préféré l'exil au régime de Fidel Castro. De cette époque, il reste notamment la fameuse villa de Dupont de Nemours, avec golf et aéroport privé, que le gouvernement révolutionnaire a transformée en centre touristique.

Aujourd'hui, Varadero est un des meilleurs centres balnéaires de Cuba. Les nombreux hôtels qui y furent construits avant la Révolution, abritent des travailleurs en vacances, accompagnés de leurs familles. Les syndicats, les organisations de jeunes ou de femmes, le Parti Communiste cubain en sont les principaux bénéficiaires. Pour le voyageur étranger qui ne connaît pas grand-chose du passé, Varadero est certainement un des exemples les plus significatifs des changements intervenus dans la société cubaine depuis une vingtaine d'années.

Pour ceux qui veulent consacrer une partie de leurs vacances au *135* repos, Varadero est un site balnéaire idéal. Rien de comparable bien sûr avec l'animation et les divertissements de la côte d'Azur. La vie y est calme, les possibilités d'excursions à des lieux pittoresques limitées, l'ambiance générale, enfin, moins trépidante. Mais les plages à moitié désertes, la mer perpétuellement bleue et verte, les cocotiers, les palmiers, le petit train aux wagons bariolés que tire un tracteur de labour, les avenues bordées de flamboyants, les hibiscus et les icaquiers aux fleurs blanches, les bicyclettes, tout donne à Varadero cette langueur tropicale propre aux Caraïbes.

On peut s'y reposer, flâner, passer des heures allongé sur le sable, errer dans les jardins sans craindre le bruit ni la pollution. Seuls, les crabes qui pullulent sur les plages incommodent parfois les promeneurs du soir en quête de romantisme. Les sportifs pratiqueront la pêche sous-marine ou de plongée, le tennis, l'équitation, le ski nautique. Varadero offre plus d'avantages aux touristes que La Havane, y compris le soir avec ses night-clubs. L'un des lieux les plus fréquentés par les Cubains est la *Cueva del Pirata,* discothèque installée dans une grotte de la presqu'île.

A une cinquantaine de kilomètres de Varadero, la Cueva Bellamar, la grotte de Bellamar, émerveille les visiteurs par ses stalagmites et stalactites. Ses légendes sont innombrables.

De Varadero, on peut rejoindre par la route la côte Sud de la province de Matanzas pour connaître la baie des Cochons et Playa Girón. Comme dans le reste du pays, les voies secondaires sont étroites et peu favorables à la circulation. Elles sont encombrées de tracteurs, bulldozers, autocars et bicyclettes. Peu de panneaux de signalisation. Fréquemment, au détour d'un hameau, les essieux grinçants d'un train chargé de canne à sucre troublent le silence. Surgissant d'une plantation, le convoi, crachant et fumant, traverse la route. Personne jusqu'à ce jour n'a songé à mettre en place des passages à niveau. Pourtant, dès la seconde moitié du XIXe siècle, la province de Matanzas était déjà une des plus riches de Cuba, fournissant la moitié de la production nationale de sucre.

Le paysage ne change guère pendant le parcours, sauf lorsque la route pénètre dans la péninsule de Zapata, jadis une des plus déshéritées de l'archipel. Cette région chaude et marécageuse où croupissent les crocodiles sera, dans les années 80, une des principales régions productrices d'agrumes du monde. Plusieurs centaines de milliers d'hectares ont déjà été irrigués depuis le début de la Révolution. Tracés au cordon, les champs s'étendent sur des kilomètres. Parfois une école secondaire moderne — une *básica* —, dont les internes partagent leur temps entre les études et les travaux agricoles, apparaît au milieu des arbres fruitiers.

Ceux-ci cèdent soudainement la place à des cocotiers et des massifs de fleurs plantés au milieu d'un parc, le Parque Nacional de la Cienaga de Zapata. L'endroit est davantage connu sous le nom de **Guamá**. On y a créé le second centre mondial d'élevage du crocodile, le premier se trouvant en Thaïlande. Rassemblés dans d'immenses étangs, selon leur taille et leur âge, plusieurs dizaines de milliers de sauriens attendent, la gueule ouverte, que des insectes viennent se poser sur leurs crocs pour les happer ou que des mains charitables leur jettent en appât des crabes qui pullulent dans les alentours. Les lieux sont pestilentiels.

Non loin du parc aux crocodiles, qui vaut la peine d'être connu, des vedettes à fond plat emmènent les voyageurs par un long canal artificiel, bordé de bambous et de roseaux, vers la Lagune du Trésor. La légende veut que le chef des Indiens Taínos, poursuivi par les Espagnols, y ait jeté ses sacs remplis d'or. On ne les a jamais retrouvés. Par contre, les myriades d'oiseaux qui survolent les eaux tranquilles de la lagune laissent à penser que les poissons sont le véritable trésor des lieux.

Malheureusement, les moustiques abondent. Ils recherchent avec délectation la peau sensible des Européens qui séjournent dans le village précolombien construit au bord de la lagune. Une quarantaine de huttes lacustres, en rondins, coiffées de chaume, sont reliées entre elles par des ponts en bois. Elles ne sont pas très confortables mais un restaurant, une cafétéria, une piscine et un magasin permettent aux visiteurs de passer agréablement le temps. Les voyageurs soviétiques y sont nombreux. Sur l'autre rive de la lagune, un atelier autogéré fabrique des statuettes en terre cuite et quantité d'objets divers.

Au-delà de Guamá, vers le Sud, commence la baie des Cochons. Le tourisme fait place à l'histoire. Quatre-vingts petits monuments, érigés sur les routes qui conduisent à Playa Girón, témoignent de la férocité des combats qui se déroulèrent dans la région en avril 1961. Ils rappellent les noms des combattants cubains tombés face aux envahisseurs. Dans toute la province de Matanzas, d'immenses panneaux en couleurs, au bord des routes, évoquent cette page de l'histoire cubaine : vêtu de son légendaire uniforme vert-olive, la barbe broussailleuse, Fidel Castro serre contre lui une mitraillette.

Le samedi 15 avril 1961, des avions B-26 de l'US Air Force, camouflés aux couleurs cubaines, bombardent inopinément les aéroports de La Havane et Santiago. Deux jours plus tard, 1 400 émigrés cubains, entraînés au Guatemala et au Nicaragua par les services secrets Nord-américains, débarquent à Playa Girón. Plusieurs navires de guerre des Etats-Unis, qui changèrent de nom à cette occasion, déversent leurs obus sur la côte. Les Cubains ne disposent, en tout et pour tout, que de huit avions démodés qui n'ont même pas de pièces de rechange. Trois d'entre eux réussissent à *137* couler le *Houston,* dans la baie des Cochons. Un quatrième fait exploser le *Rio Escondido,* chargé de munitions.

Les envahisseurs établissent néanmoins deux têtes de pont sur la côte. Grâce à des hommes-grenouilles, qui ont balisé la mer pour permettre aux péniches de débarquement d'éviter les récifs de coraux, ils prennent pied à Playa Larga et à Playa Girón. Malgré la faiblesse de leurs moyens, une centaine de paysans stoppent la première vague d'assaut. L'armée a alors le temps d'accourir sur les lieux. Elle lance dans la bataille ses tanks T-34, de fabrication soviétique. Les combats font rage pendant trois jours et se terminent par la défaite totale des assaillants. Plus de mille d'entre eux sont faits prisonniers. Ils seront échangés, vingt mois plus tard, contre des produits alimentaires et des médicaments dont le blocus américain privait Cuba.

On peut admirer au musée de la Révolution, à La Havane, le tank avec lequel Fidel Castro fit feu sur le *Houston*. Il dirigea en personne les opérations militaires.

Sur les lieux du débarquement, devenus un centre d'excursion quasiment obligatoire, un musée a été installé. A quelques mètres des prises de guerre, bungalows et cafétérias accueillent les voyageurs.

Playa Girón est aujourd'hui le symbole de la Révolution.

Cardenas

Curiosités

Ville coloniale du XIXe siècle, célèbre par ses rues à arcades. Voir la statue de Christophe Colomb.

C'est à Cardenas que fut hissé pour la première fois, en 1850, l'actuel drapeau cubain.

Guamá

Curiosités

Aménagé dans une zone marécageuse par le gouvernement révolutionnaire, Guamá rassemble plus de 40 000 sauriens de toutes tailles.

A quelques mètres du restaurant, des vedettes à fond plat vous conduiront en 45 mn par un chenal jusqu'à la Lagune du Trésor - **la Laguna del Tesoro.** Un village en style précolombien y a été construit à l'intention des voyageurs.

Ne pas oublier de voir l'atelier de poteries et les statues de l'artiste cubaine Rita Longa.

Bungalows et restaurants

Guamá. Restaurant pittoresque, à l'entrée du parc. On n'y mange pas de steaks de crocodiles, mais on y savoure d'excellentes boissons cubaines, dont le lait de noix de coco, qui ouvre l'appétit.

Lagune du Trésor. Une quarantaine de bungalows rustiques ont été construits sur pilotis au bord de la lagune. Restaurant, cafétéria, magasin, piscine. Les moustiques pullulent la nuit.

Pour toute information supplémentaire, s'adresser à : *Empresa Turística Cienaga de Zapata,* Carretera Central Australia.

Matanzas

Curiosités

Musée pharmaceutique. Ouvert du lundi au samedi, de 14 à 18 h et de 19 à 21 h. Importante collection de pots en faïence et d'instruments médicaux.

Musée de Matanzas. Ouvert du mardi au dimanche, de 15 à 18 h et de 19 à 22 h.

Cathédrale. Elle est située près du Parque La Libertad.

Eglise de Montserrat. Très belle vue sur la baie.

Restaurants

Le meilleur restaurant de la ville est situé, au fond de la baie, au croisement des routes qui conduisent à Varadero et Santiago de Cuba. Belle terrasse sur la mer.

A quelques mètres en contrebas, une grotte naturelle, *la Cueva Bellamar,* a été transformée en discothèque. Elle est très fréquentée par la jeunesse de Matanzas.

Playa Girón

Curiosités

Principale plage de débarquement des mercenaires anticastristes, en avril 1961. Le musée local retrace les combats qui durèrent trois jours. A quelques mètres, un avion, un char, des péniches.

Dans les alentours, des dizaines de monuments ont été élevés à la gloire des combattants cubains.

Les lieux méritent d'être connus.

Playa Larga

Curiosités

Située au fond de la baie des Cochons, Playa Larga fut une des deux têtes de pont établies par les mercenaires anticastristes, en avril 1961.

Il est possible de visiter au large de la côte deux îles ravissantes : **Cayo Largo** et **Cayo Ernst Thaelmann**. Se renseigner à Playa Larga.

Hôtel

Complexe touristique sur la route de Jaguey Grande. Une quarantaine de bungalows confortables, restaurant, cafétéria, dancing.

Varadero

Curiosités

Musée Dupont de Nemours. Ancienne villa du millionnaire américain Dupont de Nemours, à la pointe extrême de la presqu'île de Varadero. Plage privée, golf, aéroport. Le gouvernement a fait de ces lieux un musée de l'époque prérévolutionnaire.

Maison de Batista. C'est aujourd'hui une laverie.

Excursions

Plages. Elles s'étendent sur des kilomètres et sont parmi les plus belles de la côte septentrionale de Cuba. Sable fin, cocotiers. On y pratique tous les sports : pêche et plongée sous-marine, voile, ski nautique. Pour aller en mer, se renseigner dans les hôtels ou au port de la Dársena.

Cueva Bellamar. La grotte de Bellamar, qui n'a pas encore été complètement explorée, est une des beautés naturelles de la région. Stalactites et stalagmites. D'autres cavernes, moins importantes, ont été découvertes dernièrement. Certaines conservent des peintures indiennes de l'époque précolombienne.

Adresses utiles

Location de bicyclettes. Hôtel Oasis, Vía Blanca, km 29, et hôtel Kawama, Reparto Kawama.

Location pour la pêche. Hôtel Oasis, Vía Blanca, km 29.

Location de voitures. Avenida 1ra, entre Calle 13 et Calle 14. Tél. 239. S'adresser également Calle 42, entre Avenida 1ra et Avenida Playa.

INIT. Avenida 1ra, à l'angle de Calle 13. Tél. 061 580.

Golf. Avenida 1ra, à l'angle de Calle 42.

Petit train. Il part de la Calle 30, entre Avenida 1ra et Avenida 3ra.

Hôtels

Hôtel Internacional de Varadero. Avenida Las Américas. Tél. 553 260. C'est l'hôtel le plus célèbre de Varadero. Très belle plage de sable fin. 162 chambres donnant sur la mer. Air conditionné. Restaurant, cabaret, bar, cafétéria. Salon de coiffure. Magasins, laboratoire photo, librairie. Piscine.

Hôtel Oasis. Vía Blanca km 29. Tél. 540 290. Hôtel confortable. Restaurant, cabaret, bar, cafétéria. Magasins, librairie, location de bicyclettes et d'équipement pour la pêche sous-marine. Piscine.

Hôtel Atabey. Nouvellement construit, il est situé à 100 mètres de la plage. Fréquenté par les Européens.

Hôtel Siboney. Nouvellement construit, il est également fréquenté par les Européens.

Villa Los Delfines. Avenida Playa, à l'angle de Calle 39. Tél. 305. Ambiance très jeune.

Hôtel Kawama. Reparto Kawama. Tél. 218 317. Construit dans un parc ombragé, c'est un des plus jolis hôtels de Varadero : 64 chambres. Restaurant, cabaret, bar, cafétéria. Magasins, librairie, salon de coiffure. Location de bicyclettes.

Villa Arenas Blancas. Calle 64 y Carretera Dupont. Tél. 148 338. Ensemble d'anciennes villas qui appartenaient, avant la Révolution, à des familles aisées. Restaurant, bars, piste de danse. Plage à proximité.

Cabañas del Sol. Avenida Las Américas. Tél. 328. Anciennes villas de millionnaires.

Cabañas Marazul. Avenida Las Américas. Tél. 260. Bungalows.

Hôtel Dos Mares. Calle 53, à l'angle de Avenida Playa. Tél. 111.

Hôtel Ledo. Avenida Playa, à l'angle de Calle 43.

Cuba. Calle C, Reparto Dupont.

Hôtel León. Avenida 1ra, entre Calle 47 et Calle 48. Tél. 348.

Marbella. Avenida 1ra, entre Calle 42 et Calle 43.

Miramar. Avenida Playa, à l'angle de Calle 49. Tél. 329.

Playa Azul. Avenida Playa, entre Calle 34 et Calle 35. Tél. 506.

Hôtel Pullman. Avenida 1ra, à l'angle de Calle 49.

Tortuga. Calle 7, à l'angle de 1ra.

Sotavento. Calle 13, à l'angle de 1ra.

Los Cocos. Calle 23 et Playa.

Rosa-Happines. Avenida Playa, à l'angle de Calle 51.

141

Tropical-Astoria. Avenida 1ra, entre Calle 22 et Calle 23.

Barlovento. Calle 11 et Playa.

Caribe. Calle 30 et Mar.

Restaurants

Las Américas. Installé dans l'ancienne villa du millionnaire Dupont de Nemours, c'est un des restaurants les plus élégants de Varadero. Très bonne cuisine. Les hôtes du gouvernement cubain y sont généralement invités. Vue sur la plage. Au moins 150 F par personne ou l'équivalent de 35 U.S. $.

Mediterraneo. Fruits de mer.

Castel Nuovo. Cuisine *criolla*, c'est-à-dire typiquement cubaine.

El Caney. Cuisine cubaine.

Caletón. Cuisine cubaine.

Mekong. Restaurant chinois, spécialisé dans la cuisine cantonaise.

Varadero Internacional. Avenida Las Américas. Tél. 553 260.

Flamboyant. Avenida Playa, entre Calle 43 et Calle 44.

Kawama. Reparto Kawama. Tél. 218 317.

Oasis. Vía Blanca km 29. Tél. 540 290.

Capri Pizzeria. Cuisine italienne.

Vie nocturne

Varadero Internacional. Avenida Las Américas. Tél. 553 260. C'est le night-club le plus somptueux de Varadero. Rythmes cubains, prestidigitateurs, filles aux jambes nues. En semaine, il reste ouvert jusqu'à 2 h du matin.

Cueva del Pirata. Autopista sur, km 10 1/2. Très belle discothèque installée dans une grotte.

La Rada. Vía Blanca km 31, Dársena. Cabaret très fréquenté.

Kastillito Club. Avenida Playa, entre Calle 49 et Calle 50.

Flamboyant. Avenida Playa, entre Calle 43 et Calle 44.

Kawama. Reparto Kawama. Tél. 218 317.

Bar León. Avenida 1ra, entre Calle 47 et Calle 48. Tél. 348.

Bar Concha. Calle 42, entre Avenida Playa et Avenida 1ra.

Bar Milián. Avenida 1ra, à l'angle de Calle 51.

Las Cuevas. Reparto Taíno.

Carpeta Central. Calle 13 et 1ra Avenida, Varadero.

Zona Granma. Calle 23 et Autopista, Varadero.

Pour toute information supplémentaire, s'adresser à : *Empresa Turística Varadero*, Vía Blanca km 31, La Darsena, Varadero.

Cienfuegos

Bâtie au bord d'une baie — la seconde de l'archipel puisqu'elle a 26 km de pourtour — Cienfuegos est la capitale de la plus petite province de Cuba. On l'appelait jadis la *Perle du Sud*.

Au début du XIXe siècle, un gouverneur espagnol, le général José Cienfuegos, y fit venir une cinquantaine de familles françaises de la Floride et de Bordeaux pour la « blanchir ». La proportion des Noirs, en effet, y était particulièrement élevée.

A la veille de la Révolution, les préjugés raciaux y étaient encore à ce point vivaces que l'avenue principale — *El Prado* — avait à l'heure de la promenade du soir un trottoir réservé aux Noirs et un autre réservé aux Blancs. Le samedi, sur une des places de la ville, danseurs noirs et blancs, qui se trémoussaient aux rythmes d'un orchestre local, étaient séparés par une corde qu'ils n'avaient pas le droit de franchir. Cousins et cousines dont la pigmentation de la peau était différente avaient ainsi à peine le droit de s'adresser quelques mots entre deux *congas*.

Bien entendu, les temps de la discrimination raciale sont en principe révolus à Cuba. Rien n'empêche aujourd'hui les Noirs d'occuper les mêmes fonctions que les Blancs, à n'importe quel échelon de la société et de l'Etat, ni de fréquenter les mêmes lieux publics. A la différence de la plupart des pays d'Amérique latine, où une discrimination sociale teintée de racisme continue à se manifester dans les couches les plus favorisées de la population, Cuba s'est efforcée d'éliminer toute barrière sociale et raciale.

Fondée en 1819, l'année où Beethoven fut atteint de surdité, ainsi que le rappellent les habitants aux visiteurs étrangers, Cienfuegos est devenue le centre d'une région très active. Entièrement réaménagé et modernisé, le port est le premier centre d'embarquement de sucre du monde, avec une cadence de 1 200 t à l'heure. On y a construit un silo apte à recevoir 90 000 t de sucre. Seul un port Sud-africain possède un silo d'une capacité supérieure. Par suite du blocus américain, les Cubains ont été obligés de faire appel à des pays très divers pour mettre sur pied les installations portuaires : les grues sont japonaises, les déverseurs hollandais, les pompes soviétiques, les wagons espagnols ou roumains, etc...

Troisième port de Cuba par son trafic de marchandises, Cienfuegos s'industrialise rapidement. On y a construit la plus grande fabrique de ciment du pays sur un terrain de 365 000 km^2. Inaugurée en 1980, elle produira 1 650 000 t de ciment par an à partir de 1985. Elle possède déjà l'une des plus grandes fabriques d'engrais d'Amérique latine, des minoteries, un important chantier de construction navale et des industries diverses. Enfin, les Soviétiques installent une centrale thermonucléaire dans les environs.

Curiosités

Palacio del Valle. Somptueux palais construit par un milliardaire espagnol au début du siècle.

Théâtre Terry. Construit en 1900 par les héritiers d'un milliardaire américain.

Zone portuaire. Possibilités de visite. Se renseigner sur la location d'un canot pneumatique.

Excursions

Castillo de Jagua. Construit au XVIIIe siècle pour protéger la baie de Cienfuegos contre les incursions des pirates. Voir également le village des pêcheurs au pied de la forteresse.

Jardin botanique. Situé sur la route de Cienfuegos à Trinidad, ce jardin de 92 ha fut inauguré au début du siècle. Jusqu'en 1961 il fut administré par l'Institut Harvard. Plus de 2 000 espèces végétales des régions tropicales et subtropicales. On peut y admirer notamment 23 espèces de bambous et surtout 280 espèces de palmiers. Le palmier royal *(Roystonea regia)* est naturel de Cuba. A ne pas manquer : le palmier-liège *(Microcycas calocoma)*, véritable fossile vivant qui existait déjà à Cuba voilà des millions d'années.

Plages. Belles plages à Pasacaballo et Rancho Luna.

Hôtels

Hôtel Jagua. Calle 27, n° 1 à l'angle des avenues 0 et 2. Situé à Cienfuegos même. Très belle vue sur la baie. Hôtel moderne : 128 chambres avec salle de bains, air conditionné. Restaurant, cafétéria, bars, librairie, coiffeur, cabaret. Piscine.

Motel Rancho Luna. Construit au bord de la mer, il dispose de 225 chambres confortables. Plage.

Hôtel Pasacaballo. Castillo de Jagua. A l'entrée de la baie de Cienfuegos, face au Castillo de Jagua. Très beau site. 185 chambres avec air conditionné, salle de bains, téléphone et réfrigérateur. Piscine.

Pour toute information supplémentaire s'adresser à : *Empresa Turística Cienfuegos,* Avenida 56, n° 3117, Cienfuegos.

Distances

	Cienfuegos
Caibarién	125 km
Placetas.	110 km
Sagua La Grande	125 km
Santa Clara	74 km
Topes de Collantes.	96 km
Trinidad	86 km
La Havane	297 km

Villa Clara

Avec ses vingt-neuf raffineries, la province de Villa Clara est la seconde productrice de sucre de Cuba. Elle est bordée au Sud par la province de Cienfuegos, à l'Ouest par celle de Matanzas et à l'Est par celle de Sancti Spiritus. Elle possède de nombreuses plages agréables sur la côte septentrionale. Et, tout le long du littoral, s'échelonnent des *cayos* dont le plus renommé est le Cayo Esquivel.

Capitale de la province, Santa Clara fut fondée en 1690 à la suite des attaques incessantes des corsaires contre San Juan de los Remédios, première ville de la région. Elle est située de ce fait à l'intérieur des terres. Elle a actuellement 130 000 habitants et une université.

Santa Clara fut le siège de violents combats, en décembre 1958, entre les troupes de Fulgencio Batista et les guérilleros de *Che* Guevara. Tapis jusqu'alors dans la Sierra del Escambray, ceux-ci étaient sortis de leur repaire pour lancer une attaque surprise contre les renforts gouvernementaux envoyés dans la région. L'attaque d'un train blindé, à Santa Clara même, leur permit de faire la jonction avec la colonne de guérilleros de Camilo Cienfuegos et de couper ainsi Cuba en deux. En trois jours à peine, les *barbudos* remportèrent ainsi une de leurs plus belles victoires.

Curiosités

Musée de la Révolution. Installé à Santa Clara, ce musée retrace par des images et des textes la victoire de *Che* Guevara sur les troupes de Batista.

Parque Arcoiris. Très beau parc à Santa Clara. Végétation tropicale. Bars et restaurants.

Hôtels

Santa Clara Libre. Parque Vidal 6, Santa Clara. Situé au centre de Santa Clara, l'hôtel porte encore les traces des combats de 1958.

Motel Los Caneyes. Av. Eucaliptus et Circunvalación Villa Clara, Santa Clara.

Hôtel Elguea. Baños Elguea Villa Clara, Corralillo.

Pour toute information supplémentaire, s'adresser à : *Empresa Turística Villa Clara,* Parque Vidal 1, à l'angle de Martha Abreu.

Excursions

Plages. Les plus connues sont Isabela de Sagua et Playa Nazabal.

Cayo Esquível. Ile ravissante au large de la côte. Se renseigner pour s'y rendre en bateau.

Distances

	Santa Clara
Caibarién	51 km
Placetas.	37 km
Sagua La Grande	51 km
Topes de Collantes.	143 km
Trinidad	133 km
La Havane	301 km

Sancti Spiritus

C'est dans la province de Sancti Spiritus que se trouve Trinidad, une des plus belles villes de l'époque coloniale espagnole en Amérique latine. Elle vaut à elle seule le voyage à Cuba.

Ce ne sont pas seulement les vieux palais, les ruelles pavées de cailloux ronds, les patios ornés de plantes tropicales, les grilles en fer forgé, les grand-mères assises à leurs fenêtres, les parfums et les fleurs, qui font de Trinidad une ville exceptionnelle. L'atmosphère y est douce, les couchers de soleil incomparables. Loin des rumeurs de la Révolution, Trinidad a conservé les splendeurs de son passé.

Fondée par le *conquistadore* Diego Velázquez, en l'an 1514 — tout au début, par conséquent, de la colonisation de Cuba — Trinidad est adossée aux collines de Guamuhaya. Troisième ville de l'archipel par son ancienneté, elle a tout au plus 30 000 habitants. Il faut savoir s'y promener à pied.

Au cœur de la cité, des ruelles étroites montent vers une petite place carrée, la Plaza Mayor, dont le centre est occupé par un jardin public planté de palmiers. Les lieux sont ravissants. Autour, un magnifique palais, le palais de Brunet, bâti au XVIIIe siècle, l'église de la Santisima Trinidad et le couvent de San Fernando.

Résidence de Nicolas de la Cruz y Brunet, propriétaire de nombreuses plantations de canne à sucre, maître de centaines d'esclaves, et qui fut ennobli en 1836 par le roi d'Espagne, le palais de Brunet est constitué de deux étages dont l'un a été transformé en musée par le gouvernement actuel. Abandonné par ses anciens propriétaires, il servit tour à tour d'épicerie, d'hôtel puis de pension de famille. Le patio est un des plus beaux de Cuba.

En flânant dans les rues de Trinidad, on découvre, au coin d'une rue ou d'une place, une église du XVIIIe siècle, un couvent, une vieille demeure seigneuriale, une maison coloniale aux patios andalous. De temps à autre passe un mulet, une charrette. Toute la ville forme un ensemble harmonieux de sons et de lumières. Est-ce donc un hasard si les troubadours y furent toujours nombreux ? Le plus connu d'entre eux, Rafael Saroza, mourut dans les années 40.

De même façon, Trinidad a inspiré nombre de compositeurs et artistes-peintres. Après avoir coupé la canne à sucre et ressemelé des chaussures, pendant la plus grande partie de son existence, Benito Ortiz se mit à l'âge de 75 ans, en 1964, à peindre ses premiers tableaux. Ebloui par la beauté de sa ville natale, il reste jusqu'à maintenant l'un des meilleurs peintres naïfs de Cuba.

En souvenir du célèbre explorateur allemand Alexander de Humboldt (1769-1859), qui fit un bref séjour à Trinidad, les Cubains lui ont consacré un musée de sciences naturelles. Il mérite d'être visité. Humboldt séjourna deux fois à Cuba : la première, de décembre 1800 à mars 1801 et la seconde, en 1804. Il effectua entre-temps un long voyage en Amérique centrale et en Amérique du Sud d'où il rapporta quantités d'observations inédites qui contribuèrent au développement de la climatologie, de la géologie et de l'océanographie.

Cet homme, qui vécut dix-huit ans en France et passa le restant de sa vie à voyager, tenta de fonder sur des bases solides ce que l'on appelle la physique du globe. Il ne cessa de recueillir dans ce but des données extrêmement précises sur les positions des points les plus remarquables de la surface terrestre, en longitude et en latitude, leur élévation, l'inclinaison de l'aiguille aimantée en même temps qu'il mesura le degré d'humidité, l'état électrique, la température et la transparence de l'air, la phosphorescence de la mer, l'intensité de la lumière astrale, etc... Humboldt étudia également la superposition des couches terrestres et les fossiles qui les caractérisent, les relations des *147* groupes végétaux avec le sol, les formes et les aspects du paysage, le climat et son influence sur les êtres vivants. Il s'efforça enfin de préciser les modifications imposées par le milieu naturel à tous les êtres organisés, depuis le végétal jusqu'à l'être humain. Fasciné par la nature tropicale, il écrivit de nombreuses lettres à ses amis et des ouvrages dont les plus importants sont « *Voyage aux Terres Equinoxiales* » et « *Essai politique sur la Nouvelle Espagne* ». Aucun autre explorateur européen n'est aussi connu et respecté que lui en Amérique latine et à Cuba.

Profondément attachée à son passé, Trinidad cultive aussi ses traditions populaires. Dans les campagnes avoisinantes, les descendants des anciens esclaves haïtiens qui quittèrent leur pays d'origine continuent à parler le créole dans certains hameaux. Et à pratiquer parfois le *vaudou,* cérémonie religieuse d'origine africaine, qui a de profondes similitudes avec la *santería* cubaine.

Massif montagneux dont la longueur d'Ouest en Est ne dépasse pas 80 km, la Sierra del Escambray servit de refuge aux guérilleros de *Che* Guevara, en 1958, avant de partir à l'attaque de la ville de Santa Clara. Son pic le plus élevé, le pico San Juan, atteint 1 056 m. Creusé de torrents, couvert d'une végétation luxuriante, le massif de l'Escambray est une des plus belles régions de la province de Sancti Spiritus. Et l'une des plus farouchement attachées à certaines traditions. Les témoins de Jéhovah y restent nombreux même si leurs activités sont discrètes. Pour tenter de les intégrer au processus révolutionnaire, des artistes cubains fondèrent, en 1968, une troupe théâtrale, le **Grupo Escambray.** Allant de village en village, de plantation en plantation, jouant à l'heure des repas ou à la tombée de la nuit, ils ont partagé la vie quotidienne des paysans et se sont inspirés de leurs coutumes pour jouer de courtes pièces de théâtre d'origine populaire. Ils ont ainsi donné des centaines de spectacles gratuits. Le Grupo Escambray, dirigé par Sergio Corrieri, est actuellement une des compagnies de théâtre les plus connues de Cuba.

La Sierra del Escambray fut la dernière région du pays où les maquis anticastristes réussirent à maintenir des foyers insurrectionnels.

Baignée au Nord et au Sud par la mer des Caraïbes, la province de Sancti Spiritus a de magnifiques plages de sable fin.

Curiosités

Plaza Mayor. Très belle place, dans le centre de Trinidad, où se dressent le palais de Brunet, le couvent San Fernando et l'église de la Santísima Trinidad.

Palacio Brunet. Bâti au début du XVIIIe siècle, ce palais fut la résidence d'un comte espagnol richissime. C'est aujourd'hui un musée : meubles et vaisselle de l'époque. Tableaux d'Esteban Chartrand, peintre du XIXe siècle, de mère cubaine et de père français. Patio somptueux.

Palacio Cantero. Beau palais aux alentours de la Plaza Mayor, construit entre 1810 et 1812.

Palacio Iznaya. Beffroi de 45 m de haut. Jadis les cloches appelaient chaque matin les esclaves au travail.

Iglesia de Santa Ana. Intéressante église du XVIIIe siècle.

Convento de San Francisco. Couvent du XVIIIe siècle.

Museo archeológico. Aménagé dans l'ancienne résidence des échevins de Trinidad, le musée archéologique de la ville retrace la vie des Indiens.

Museo Alexander de Humboldt. Le célèbre explorateur allemand (1769-1859) de l'Amérique tropicale et de l'Asie centrale séjourna quelque temps dans cette demeure. Les Cubains lui ont consacré un musée de sciences naturelles.

Excursions

Sancti Spiritus. Capitale de la province de Sancti Spiritus, la ville de Sancti Spiritus a 60 000 habitants. Voir La Placita, avec ses arcades coloniales, et l'église paroissiale du XVIIe siècle. Intéressant musée d'art colonial où l'on peut voir un des rares exemplaires du *cepo,* instrument de torture utilisé au XIXe siècle contre les esclaves.

Trinidad. Fondée en 1514, c'est une des plus belles villes de l'époque coloniale espagnole en Amérique. Eglises et palais du XVIIIe siècle.

Casilda. Petit port, au Sud de Trinidad, d'où Hernan Cortes embarqua à la tête de ses troupes pour conquérir le Mexique.

Laguna del Hanabanilla. Lac artificiel long d'une trentaine de kilomètres, au Nord de la Sierra del Escambray. Les Cubains y ont construit leur première centrale hydro-électrique.

Sierra del Escambray. Massif montagneux dont le pic le plus élevé, pico San Juan, atteint 1 056 m. Relief accidenté, très belle végétation. Allez jusqu'à Topes de Collantes en traversant le parc national. Si vous le pouvez, longez le versant Sud en empruntant la route qui va de Trinidad à Cienfuegos. Les iguanes y sont nombreux.

Plages. Sur la côte Nord : Carbó. Sur la côte Sud : Ancón, Covadonga, Los Lagos, Tunas de Zaza, etc...

Caibarién. Port de pêche sur la côte Nord. On peut s'y rendre en train.

Hôtels

Trinidad. Les voyageurs ont plusieurs hôtels à leur disposition dans les environs de la ville. Le plus connu est l'*hôtel Costasur,* en bord de mer (62 chambres). Voir également le *motel Las Cuevas,* de construction moderne : 54 chambres climatisées, restaurant, bar, magasin, bureau de poste, piscine.

Côte Sud. Outre l'*hôtel Costasur,* sur la route María Aguilar, des hôtels nouvellement construits s'échelonnent en bord de mer à Ancón, Covadonga, Los Lagos, etc...

Côte Nord. Motel à Carbó.

San José del Lago. Station thermale. Hôtels.

Taguajay. Localité située sur la route 4-13 qui va du port de Caibarién à Chambas. Motel.

Cabaiguán. Hôtel sur la route nationale entre Santa Clara et Sancti Spiritus.

Mayajigua. *Motel Los Lagos.*

Topes de Collantes. Complexe touristique dans la Sierra del Escambray. Un hôtel de 500 chambres, un autre de 144 chambres, trois motels, une auberge de jeunes, un camp international pour enfants, quatre piscines, un centre d'équitation, une bibliothèque et plusieurs cinémas.

Laguna del Hanabanilla. Inauguré en 1977, *l'hôtel Hanabanilla* est situé au bord d'un lac artificiel : 128 chambres modernes, restaurant, bar. Pêche à la truite.

Tunas de Zaza. *Hôtel Zaza.* Etablissement moderne de quatre étages. Piscine. Cocotiers.

Route de Cienfuegos et Buen Ret. *Motel Las Cuevas.*

Pour toute information supplémentaire, s'adresser à : *Empresa Turística Sancti Spiritus,* Calle Máximo Gomez 3, à l'angle de Calle San Fernando y Cadena, Sancti Spiritus.

Distances

	Trinidad
Cienfuegos	86 km
Placetas	169 km
Santa Clara	133 km
Topes de Collantes	10 km
La Havane	379 km

Ciego de Avila

Capitale de la province du même nom, Ciego de Avila est une petite ville sans grand intérêt. Elle a toutefois l'avantage d'être reliée par le train à San Fernando, sur la côte Nord. Vous traverserez des régions ravissantes et verrez des hameaux au milieu des cocotiers et des palmiers. Indifférents aux voyageurs qui passent, les habitants bavardent sur le pas de leurs portes tandis que poulets, canards et cochons se promènent au hasard. Parfois, en pleine campagne, un coiffeur s'est installé au pied d'un arbre pour raser les clients de fortune.

Si vous vous arrêtez à Morón, vous boirez la meilleure eau de Cuba. Tout au long de la route qui va de cette ville à Júcaro, sur la côte Sud, il est encore possible de voir les fortifications construites par les Espagnols pour stopper l'avance des troupes cubaines du général Maximo Gomez, au XIXe siècle.

A ne pas manquer : l'île de Turiguanó, sur la côte Nord. Magnifiques étangs, flamands roses, crabes géants de couleur bleue. Malgré les moustiques, la plage de Ciro Trias est devenue un centre touristique important de la province.

Ciego de Avila a une dizaine de raffineries qui fournissent 9 % de la production cubaine de sucre. Dans le Nord-Ouest de la province, à signaler quelques minerais.

Hôtels

Ciego de Avila. *Hôtel Santiago Habana,* simple mais confortable.
Morón. Hôtel de cinq étages, inauguré en 1979. 136 chambres.
Ciro Trias. Hôtels.

Excursions

Morón. Fortifications espagnoles du XIXe siècle.
Ile de Turiguanó. Flamands roses et crabes géants.
Ciro Trias. Plage sur la côte Nord.

Distances

	Ciego de Avila
Camagüey	108 km
Florida	69 km
Jatibonico	46 km
Morón	38 km
La Havane	463 km

151

Camagüey et l'élevage

Le territoire cubain atteint sa largeur maximum (191 km) dans la province de Camagüey. Tracée à la verticale, une ligne imaginaire partirait de la plage de Tararacos, sur la côte Nord, et rejoindrait la pointe de Camaron Grande, sur la côte Sud.

Troisième ville de l'archipel, desservie par d'importantes liaisons aériennes, routières et ferroviaires, Camagüey (200 000 habitants) est la capitale de la province la moins peuplée et la plus plate du pays. Elle eut une histoire mouvementée. En 1666, elle fut mise à sac par le célèbre pirate anglais Henry Morgan. Plus tard, elle prit une part active aux guerres d'Indépendance.

De son passé, elle conserve un certain nombre de monuments, notamment la cathédrale, bâtie au XVIIIe siècle, et la maison natale d'Ignacio Agramonte, héros des guerres du XIXe siècle contre les Espagnols. Ville natale de Nicolas Guillén, un des plus grands poètes contemporains, centre culturel et artistique important, Camagüey a une des deux meilleures troupes de ballet classique de Cuba dont la renommée a déjà dépassé les frontières du pays.

Grâce à la voie ferrée qui rejoint la baie de Nuevitas, sur la côte Nord, et à un autre tronçon qui conduit à Santa Cruz, sur la côte Sud, Camagüey offre aux voyageurs des moyens d'accès relativement faciles aux plages de la mer des Caraïbes. Les autorités ont entrepris dernièrement sur tout le territoire de la province un certain nombre de travaux pour y développer le tourisme populaire.

Enfin, à une vingtaine de kilomètres au large de la côte Nord, les 400 îles et îlots de l'archipel des jardins du Roi (voir à ce sujet le chapitre consacré aux *cayos*) forment un des plus extraordinaires ensembles naturels des Caraïbes. L'archipel est bordé sur 400 km par une barrière de coraux, qui est la seconde du monde par son importance.

En dehors de ses beautés naturelles, de ses plages et de ses plantations de cocotiers surtout, la province de Camagüey offre en exemple une des réussites les plus remarquables de la Révolution cubaine. De zone essentiellement sucrière avant 1959, largement dominée par les *latifundia,* la région est devenue, ces dernières années, un important centre d'élevage. Abstraction faite de toute considération sur l'actuel régime politique, les efforts entrepris par les Cubains dans ce domaine méritent qu'on s'y attarde. Ils sont en passe de devenir, en effet, l'un des plus gros producteurs mondiaux de lait et de viande par habitant.

Il suffit de survoler à basse altitude la campagne cubaine pour percevoir les changements intervenus en vingt ans. Dans certaines

régions, le paysage a complètement changé : il n'est plus tropical dans sa forme, c'est-à-dire baroque et désordonné, mais européen. Les champs sont clairement délimités, les pâturages soigneusement entretenus. Au milieu des taches de verdure, apparaissent des fermes, des étables aux murs blancs, propres, de proportions modestes, construites selon des plans précis.

Importé du continent asiatique, au début de ce siècle, le zébu a été pendant longtemps l'élément de base de l'élevage. *« On peut faire vivre le brahma sur un tas de cailloux »,* disent les paysans de Camagüey qui assurent que cet animal a une résistance exceptionnelle et qu'il s'adapte très facilement aux conditions climatiques de l'archipel. Mais le zébu produit tout au plus deux litres et demi de lait par jour. Un autre animal importé auparavant par les Espagnols, le *criollo,* bovin des régions tropicales, était particulièrement résistant lui aussi et sa viande était bonne. Malheureusement les vaches n'étaient pas de bonnes laitières.

Dès le début de la Révolution, les responsables de l'économie cubaine firent importer du Canada des vaches *Holstein* d'une excellente productivité. Elles eurent néanmoins du mal à s'acclimater. Il fut alors décidé de croiser des taureaux *Holstein* et des vaches zébues pour obtenir un troupeau d'animaux hybrides, les célèbres *F-1*. On employa pour ce faire la technique de l'insémination artificielle qui était totalement inexistante à Cuba avant 1959. En dix ans, une vingtaine de centres et succursales de distribution de semence étaient installés dans le pays. En outre, une première usine japonaise d'azote liquide pour conserver les pastilles congelées fut construite. Aujourd'hui, Cuba dispose de plus de quatre mille inséminateurs sortis des écoles de l'Etat.

En utilisant les herbages par rotation, selon la technique d'un agronome français de Dieppe, André Voisin, depuis décédé et considéré comme un héros de la Révolution, les Cubains sont parvenus à améliorer la qualité du fourrage et celle de la race des *F-1*. A l'heure actuelle, ils ont déjà un troupeau de 8 millions de bovins et, au début des années 80, ce chiffre dépassera 12 millions. En outre, ils ont éliminé la fièvre apyteuse alors qu'elle continue de sévir dans un certain nombre de pays latino-américains. La viande de bœuf, de bonne qualité, est donc facilement exportable vers l'Europe.

L'élevage n'est pas seulement l'affaire des responsables de l'économie. Grâce aux mass media, la plupart des Cubains connaissent aujourd'hui les différentes races de reproducteurs, les types de pâturages, les dernières techniques découvertes dans le domaine de l'insémination artificielle, la production laitière de telle ou telle sorte de vache. Dans les journaux, à la radio comme à la télévision, aucun détail technique n'est passé sous silence. Fidel

Castro lui-même peut, dans ses discours, parler des heures durant de l'élevage, fournir des chiffres, citer des expériences, établir des comparaisons avec des résultats obtenus au Danemark ou au Japon. Il est courant d'entendre les Cubains parler de zébus, de *Holstein* ou de *F-1* comme d'autres, à l'étranger, se passionnent pour le football. Ce phénomène est certainement l'un des plus intéressants de l'histoire moderne de Cuba.

Avant la Révolution, à peine un habitant sur dix buvait du lait. Or prochainement la consommation de lait *per capita* sera aussi élevée que dans les pays scandinaves. C'est un progrès considérable pour une nation en voie de développement, soumise de surcroît au blocus. Grâce à la mécanisation de la traite dans les vingt mille laiteries en fonctionnement, Cuba est désormais en mesure de produire autant de lait que le continent africain au début des années soixante. Dans le seul triangle laitier de Camagüey, qui s'étend sur 175 000 ha, soit un territoire long de 60 km et large d'une trentaine, on estime que dès 1980 un million et demi de vaches environ produiront huit millions et demi de litres de lait, soit un peu moins d'un litre quotidien par habitant.

Dans un autre domaine, l'aviculture, les progrès ont été tout aussi importants. Alors que la production d'œufs ne dépassait guère 75 millions d'unités par an, à la veille de la Révolution, elle est aujourd'hui supérieure à 15 milliards, ce qui permet à Cuba d'être l'un des principaux producteurs d'œufs du Tiers Monde.

De tels chiffres sont nécessaires pour comprendre les bouleversements intervenus dans le paysage cubain depuis une vingtaine d'années. Des villages nouvellement construits, les *agrovilles,* inspirés du modèle bulgare, remplacent progressivement les hameaux de jadis. Une place centrale, quelques rues bordées de trottoirs et de jardins, un centre médical, une école, des bâtiments alimentés en eau, en gaz et en électricité : le tout forme un ensemble de proportions modestes où sont rassemblées les familles d'agriculteurs de la région. Certes, les paysans à la retraite regrettent souvent leurs vieilles chaumières, les *bohios,* construites avec des planches en bois de palmier et recouvertes d'un toit en feuilles de palmier desséchées.

Les voyageurs qui les aperçoivent au loin, dans la campagne, telles des champignons blancs à la tête grise, ne peuvent s'empêcher de regretter la disparition progressive de ces éléments pittoresques du paysage cubain. Blottis au pied d'un arbre ou accrochés au flanc d'un coteau, les *bohios* gardent dans leur solitude beaucoup de poésie : quelques poules, deux ou trois cochons, un jardin potager et parfois un cocotier. Qui ne rêverait de passer des heures paisibles dans ces chaumières ? Et pourtant, les *bohios* sont les vestiges de la vieille structure sociale de Cuba, lorsque les paysans, abandonnés souvent à *155* leur propre sort, sans eau ni électricité, loin de toute école, vivaient des maigres ressources de leurs lopins de terre.

Dans un pays qui dépendait pour une large part de son agriculture (37 % de la population active en 1959), l'accaparement de la terre par les *latifundia* posait de graves problèmes. Quatre mille familles environ possédaient plus de la moitié de la surface cultivable. Cette concentration de la propriété était plus accentuée encore dans certains secteurs comme celui de la canne à sucre : six propriétaires seulement contrôlaient presque la moitié des plantations. A l'autre bout de l'échelle, un demi-million d'ouvriers agricoles, très mal rémunérés ou en chômage périodique, et cent mille petits paysans qui cultivaient des parcelles de terres inférieures à 27 ha. La concentration des terres était encore plus forte pour l'élevage. Quarante sociétés cubaines et étrangères contrôlaient le quart des pâturages. Deux d'entre elles, la *Cuba Development Company* et la *Davis Arthur V,* détenaient ensemble plus de 200 000 ha. En contrepartie, des milliers de petits propriétaires se voyaient contraints de vendre leurs veaux, dès les premiers mois, car ils ne disposaient pas de moyens suffisants pour les engraisser jusqu'à l'abattage. Résultat : les rendements en lait et en viande étaient quatre fois plus faibles qu'en Europe.

Située à mi-chemin entre Cienfuegos et Santiago, la ville de Camagüey a profité de ce développement économique. Mais elle n'a pas perdu pour autant le charme de la province. Pour peu que vous vous attardiez dans les quartiers périphériques ou que vous traversiez la campagne environnante, vous verrez en fin de journée des joueurs d'échecs ou de dominos attablés à même le trottoir. Il y a toujours des badauds pour les encourager. A Cuba, ces deux passe-temps sont, depuis longtemps, très populaires.

Camagüey a conservé une autre tradition : celle des vases en terre cuite, les *tinajones,* dont certains peuvent atteindre 1,5 m de hauteur et 4 m de circonférence. Ce furent des artisans catalans, arrivés peu après la fondation de Santa Maria del Puerto del Principe, en 1514, sur la côte Nord de la province, qui eurent l'idée d'utiliser la terre rouge de la Sierra de Cubitas. De père en fils ils transmirent leur savoir et, en 1900, lors d'un recensement effectué par des fonctionnaires américains pour lutter contre la fièvre jaune, plus de 16 000 vases en terre cuite furent découverts dans la seule ville de Camagüey. Le plus ancien datait de 1760. Abandonné au début du XXe siècle, l'art des *tinajones* est en train de revivre depuis quelques années. Mais nul n'a encore découvert la technique employée par les artisans de jadis.

Curiosités

Maison natale d'Ignacio Agramonte. Ancienne caserne de cavalerie. Intéressante collection de vieilles jarres.

Galeria de Arte Universal. Collection de pierres taillées et d'objets depuis l'époque paléolithique jusqu'à nos jours.

Cathédrale. Construite au XVIIIe siècle. Toit mauresque.

Eglise de la Soledad. Style baroque primitif du milieu du XVIIIe siècle.

Plaza de San Juan de Dios. Vieilles maisons coloniales.

Excursions

Côte Nord. Très belles plages autour de la baie de Nuevitas. On peut s'y rendre de Camagüey par le train. Celle de Santa Lucia, en bord de mer, est l'une des plus renommées de Cuba.

Côte Sud. Prendre le train à Camagüey pour rejoindre Santa Cruz del Sur, sur le golfe de Guacanayabo. Plages de sable fin.

Guaimaro. Ville historique où fut proclamée, en 1869, la première constitution de Cuba.

Cangilones del Río Máximo. Très belle région dans la vallée du Río Máximo.

Cayo Romano. Longue de 100 km, Cayo Romano est l'île principale de l'archipel des jardins du Roi, au large de la côte Nord. Chevaux sauvages. Se renseigner à Camagüey pour s'y rendre en bateau.

Sierra de Cubitas. Parc naturel aménagé. Visiter la grotte de Muñoz ou de Los Generales : c'est la seule, connue jusqu'à ce jour à Cuba, qui ait des peintures aborigènes sur l'arrivée des Espagnols. Voir également, dans les alentours du village d'Aljibito, une caverne de 140 m de profondeur dont les eaux souterraines serviront à irriguer 2 500 ha.

Hôtels

Camagüey

Hôtel Cuba Socialista, Av. de los Martires 60, Camagüey.

Hôtel Isla de Cuba, Oscar Primelles 453, Camagüey.

Hôtel Colón, República 472, Camagüey.

Gran Hotel. Style colonial. Restaurant, bar. Maceo 67, Camagüey.

Hôtel Camagüey, km 4 1/2, Carretera Central, (à l'Est de la ville).

Nuevitas. *Hôtel Caonaba.* Récemment construit. Carretera Santa Rita, Camagüey.

Santa Lucía. Motel confortable sur la plage. Jardin.

Esmeralda. Motel.

Céspedes. Hôtel.

Florida. Motel.

Vie nocturne

Casa de la Cultura. Soirées musicales de *punto guajiro*.

Casa de la Trova. Lieu de rencontres typiquement « camagüeyano ».

Distances

	Camagüey
Ciego de Avila	108 km
Florida	39 km
Guaimaro	80 km
Morón	146 km
Nuevitas	76 km
Santa Cruz del Sur	81 km
Victoria de Las Tunas	124 km
La Havane	571 km

Las Tunas

La province de Las Tunas, entre les provinces de Camagüey, à l'Ouest, Holguín, à l'Est, et Granma, au Sud, n'offre pas encore d'intérêt particulier pour les voyageurs étrangers. Région essentiellement agricole (canne à sucre, riz et élevage), plus de 65 % de sa population vit à la campagne. Situé sur la côte Nord, Manati est le port principal.

Ville natale du poète Napoles Fajardo, Victoria de Las Tunas, capitale de la province du même nom, est au centre d'une région d'élevage importante. Elle est traversée par le grand axe routier qui relie La Havane à Santiago.

Curiosités

Maison natale du poète Napoles Fajardo sur les rives du Rio Hormigo. Très beau musée.

Centre touristique à **El Cornito.**

Distances

	Victoria de Las Tunas
Bayamo	149 km
Camagüey	124 km
Holguín	79 km
Santiago	274 km
La Havane	695 km

Holguín et le sucre

Holguín, capitale de la province du même nom, est l'une des villes principales (140 000 habitants) de la *carretera central* qui traverse Cuba d'Ouest en Est. Elle ne présente aucun attrait particulier mais, grâce à son aéroport et à ses hôtels, elle peut servir de plaque tournante aux voyageurs qui souhaitent s'attarder dans la région.

C'est à une quarantaine de kilomètres au Nord-Est de la ville, dans la baie de Bariay, que Christophe Colomb foula pour la première fois le sol cubain, en octobre 1492. Pendant cinq semaines, le célèbre navigateur explora la côte, entre Puerto Padre et la pointe de Maisí, jetant l'ancre à différentes reprises pour se ravitailler. Le paysage l'émerveilla. Soucieux sans doute de faire bénéficier Cubains et étrangers des beautés naturelles du littoral, le gouvernement révolutionnaire a fait construire un complexe de vacances à Guardalabarca. La plage de sable fin y est une des plus belles de l'archipel.

Pour tous ceux qui s'intéressent à autre chose qu'à l'architecture et aux loisirs, Holguín a l'avantage d'être un centre économique important. Les Cubains y ont notamment installé, avec l'aide des Soviétiques, des usines destinées à la modernisation de l'équipement agricole. Premier producteur mondial de sucre de canne, le pays en a besoin.

A une soixantaine de kilomètres de la ville précisément, les milliers de palmiers qui se dressent dans la campagne font place à la plus grande centrale sucrière de Cuba. Construite en 1919, elle compte aujourd'hui plus de 1 600 travailleurs. Elle comprend des plantations, une raffinerie, des silos, une gare de chemin de fer et des logements pour la population locale. Les installations sont vieillottes et poussiéreuses.

La plupart des 150 centrales sucrières de Cuba, dont les plus récentes datent des années trente, ont été agrandies ou modernisées depuis la Révolution. Mais, témoins de l'époque coloniale ou des premières années de l'Indépendance, jaunies par le temps, mal adaptées encore aux techniques nouvelles de la production, elles ne correspondent pas tout à fait aux nécessités présentes. Il suffit de quitter les zones urbaines pour que la même odeur de mélasse que l'on respire dans la chaleur tropicale, les voies ferrées trop étroites au milieu des plantations de canne à sucre, les locomotives d'un autre âge, les bâtiments aux murs décrépis évoquent le passé. Parfois, les ruines des sucreries où travaillèrent les esclaves, jusqu'à la fin du XIXe siècle, restent enfouies dans la végétation. Les machines tournent autour sans les effleurer. Certaines furent le théâtre de révoltes historiques d'autant qu'à une époque de leur histoire les *159*

Noirs furent plus nombreux que les Blancs à Cuba. Un vieux dicton populaire dit : « *El azúcar se hace con sangre* » : le sucre se fait avec du sang.

D'une extrémité à l'autre de Cuba, les plantations de canne à sucre forment des tapis verts de plusieurs kilomètres. Hautes de plusieurs mètres, touffues, compactes, elles longent les routes, descendent vers les rivières, remontent les pentes des vallées et se perdent à l'horizon. Par endroits, durant la moisson — la *zafra* — des plaques jaunâtres se forment au milieu des plantations. Telles des girafes dont la tête aurait été remplacée par des griffes, les machines agrippent les tiges entassées sur le sol et les chargent dans des chariots en bois que tirent les zébus. Garés aux abords des plantations, les camions *Zis*, de fabrication soviétique — les « télégrammes » — emportent leur cargaison à une vitesse éperdue vers les raffineries. On aperçoit au loin leurs cheminées blanches, cerclées de noir au sommet, lisses et longues comme des queues de billard. Sur les routes parsemées de tiges, des panneaux en couleurs se dressent à intervalles réguliers : « *Maximizar la producción* », c'est-à-dire, produire au maximum.

De janvier à juillet, au fur et à mesure que la récolte avance, le paysage se teinte légèrement de mauve au coucher du soleil. Les cimes des palmiers ressemblent alors à des araignées suspendues dans le ciel. Ce sont de gigantesques foyers d'incendie qui modifient les couleurs de la nature. Les brindilles craquent, la terre se crispe. Dévorées par les flammes, les plantations de canne à sucre passent progressivement du vert au noir. Ni attroupements ni pompiers sur les lieux. Les Cubains savent que les paysans allument des foyers pour brûler la canne sur pied et en éliminer les impuretés avant de la couper. Technique également employée en Australie.

Depuis 1974, Cuba n'est plus assurée de rester indéfiniment le premier producteur mondial de sucre de canne. Cette année-là, le Brésil lui ravit provisoirement la première place. Pourtant, dès le temps de la colonisation, lorsque les Espagnols entreprirent la destruction des forêts pour couvrir le sol cubain de plantations et s'assurer ainsi le monopole du sucre dans le monde, grâce aux autres territoires qu'ils possédaient sur le continent américain, la canne a toujours été la principale richesse du pays. Et, de ce fait, elle a été au centre des activités économiques, politiques, sociales et culturelles. Ce fut même dans une centrale sucrière, près de Manzanillo, que des patriotes dirigés par Carlos Manuel de Céspedes réclamèrent pour la première fois, en octobre 1868, l'Indépendance de Cuba.

A la veille de la Révolution, la canne à sucre occupait plus de 65 % des terres cultivées et représentait en moyenne 80 % des exportations cubaines. Au total, la production oscillait entre 4,5 et 5,7 millions de tonnes par an. Pays sous-développé, Cuba bénéficiait depuis 1934 d'un accord préférentiel, l'*American Sugar Act*, qui lui permettait de vendre aux Etats-Unis trois millions de tonnes de sucre par an, au-dessus du prix mondial.

Lorsque Washington, hostile à la politique de Fidel Castro, décida, le 5 juillet 1960, de ne pas acheter le reliquat du quota sucrier pour l'année en cours, soit 700 000 t, le Premier ministre cubain n'hésita pas à nationaliser, le mois suivant, trente-six centrales et raffineries qui appartenaient aux Américains. Quelques mois plus tard, en janvier 1961, la rupture était totale entre les deux pays.

Malgré d'innombrables difficultés, la production de sucre grimpa, dès 1961, à 6,7 millions de tonnes. Elle chuta de 40 % environ, deux ans plus tard, pour évoluer en dents de scie dans les années suivantes. C'est alors que Fidel Castro lança son formidable pari : 10 millions de tonnes pour 1970. Un record presque impossible. Pour y parvenir, le gouvernement préleva des dizaines de milliers de volontaires plus ou moins forcés dans tous les secteurs de l'économie et leur donna une structure calquée sur des schémas militaires. L'effort fut gigantesque. Lorsque Fidel Castro annonça sur la place de la Révolution, le 26 juillet 1970, que les objectifs n'avaient pas été atteints, des sanglots montèrent de la foule. Sans parvenir à atteindre les 10 millions, Cuba avait tout de même battu tous les records de son histoire : 8,5 millions de tonnes. Le précédent, en 1952, avait été de 7,2 millions.

A l'heure actuelle, la production de sucre dans le monde oscille autour de 80 millions de tonnes : 50 millions de sucre de canne et 30 millions de sucre de betterave. A elle seule, l'Amérique latine dont les quatre principaux producteurs sont Cuba, le Brésil, le Mexique et la République Dominicaine fournit approximativement 25 millions de tonnes de sucre de canne chaque année et contrôle, de la sorte, la moitié des exportations dans le monde. Cuba en produit plus de 7 millions par an.

Les Cubains ne sont pas seulement les plus gros producteurs de sucre de canne. Ils en sont également les plus gros consommateurs : 77,1 kg par habitant, en temps normal, contre 49,5 kg aux Etats-Unis et 37,2 kg en Europe occidentale. Les quelque vingt distilleries de rhum du pays travaillent surtout pour les besoins de l'exportation.

Le sucre a une telle importance dans la vie des Cubains que les quotidiens publient en première page, pendant la *zafra,* les résultats de chaque province, chaque région, chaque centrale, en les agrémentant de commentaires techniques et d'interviews recueillies dans les plantations. A la radio, c'est le même déferlement de chiffres et de dates, la même énumération des héros du jour, le même matraquage de slogans pour maintenir le rythme de la production. Qu'on imagine une campagne similaire en France, à l'époque des vendanges !

La culture de la canne à sucre a ceci de particulier qu'elle nécessite une main-d'œuvre importante et qu'elle a un caractère saisonnier très marqué. Il est nécessaire de mobiliser le maximum de bras, et de machines, sur un laps de temps très court. Avant la Révolution, des centaines de milliers de *macheteros*, les coupeurs de canne, se trouvaient ainsi sans travail, une fois la récolte terminée.

Aujourd'hui il en va différemment : le chômage partiel ou à temps complet n'existe plus à Cuba.

Malgré la Révolution, il y a encore des millionnaires, des *milionarios*, dont la presse publie régulièrement la photo et la biographie. Ce sont les *macheteros* qui ont abattu un million d'*arrobas*, soit 11 500 t de canne à sucre, ou davantage. La population les respecte comme des héros. Un adolescent inexpérimenté abat moins d'une tonne par jour et un employé de bureau 300 kg. La moyenne quotidienne d'un *machetero* ordinaire est de 400 *arrobas*, soit 4,5 t.

Grâce à la mécanisation, des machines construites sous licence soviétique, les *KTP-1*, sont capables de couper 125 t de canne par jour en moyenne avec un seul opérateur. Lorsque le terrain s'y prête, elles peuvent couper jusqu'à 350 t. Il y en a déjà plusieurs centaines en activité. Beaucoup proviennent de l'usine construite avec l'aide de l'U.R.S.S. à Holguín.

Ce chapitre serait incomplet s'il fallait résumer la province d'Holguín aux plantations et aux raffineries de canne à sucre. Outre cette richesse naturelle, commune à l'ensemble du pays, elle possède sur la côte septentrionale des gisements de nickel qui font de Cuba le quatrième producteur mondial de ce minerai, après le Canada, l'Union Soviétique et la France. Situés à Nícaro et Moa, ils fournissent près de 40 000 t par an dont les deux tiers sont exportés. A l'heure actuelle, le nickel est le second produit d'exportation, après le sucre. La production augmentera de 60 % dans les années à venir.

Le nickel reste une des rares richesses du sous-sol cubain.

Excursions

Baie de Bariay. Christophe Colomb y foula pour la première fois le sol cubain en octobre 1492.

Gibara. Musée colonial installé dans la vieille maison qui, en 1898, fut le siège de l'état-major de l'armée cubaine du général Calixto Garcia. Vitraux, meubles baroques, bibelots et objets en porcelaine.

Banes. Musée sur les civilisations indiennes avant l'arrivée des Espagnols à Cuba. C'est le plus important du monde dans son genre.

Nícaro. Gisement de nickel.

Plages. Très belles plages de sable fin à Mayabe et Guardalabarca. Villages de vacances.

Carupano. Important port cubain qui s'appelait jadis Antilla.

Vallée de Mayabe. Très beau parc naturel.

Hôtels

Holguín

Hôtel Praga, Narciso López 110, Holguín.

Hôtel Turquino, Martí 35, à l'angle de Fomento, Holguín.

Motel Mirador de Mayabe, Loma de Mayabe, Holguín.

Motel Pedro Díaz Coello, km 2 Carretera Mayarí, Holguín.

Mayarí

Motel Pinares de Mayarí, Meseta de Pinares, Mayarí.

Motel Bitirí, Aguilera et Maceo, Mayarí.

Banes

Playa Guardalavaca, Guardalavaca, apartado 40, Banes.

Vie nocturne

Cabaret Nuevo Nocturno, km 3, Carretera Habana, Holguín.

Pour toute information supplémentaire s'adresser à : *Empresa Turística Holguín*, Libertad 88, à l'angle de Aguilera et Arias, Holguín.

Distances

	Holguín
Bayamo	71 km
Dos Rios	110 km
Gibara	39 km
Guantánamo	261 km
Mayari	89 km
Puerto Padre	131 km
Santiago	191 km
Victoria de Las Tunas	79 km
La Havane	773 km

Granma et la Sierra Maestra

La province de Granma est la cinquième de Cuba par la densité de sa population : 47 habitants au km². Le quart de son territoire est montagneux et offre des conditions favorables à la culture du café et du cacao. C'est aussi un centre important de l'industrie laitière.

Capitale de la province, Bayamo (80 000 habitants) conserve quelques vestiges de l'époque coloniale dont l'église paroissiale du XVIIIe siècle, une des plus vieilles de Cuba. Carlos Manuel de Céspedes, héros de là première guerre d'Indépendance, y naquit le 18 avril 1819. On peut visiter sa maison, aujourd'hui un musée. On verra également la pharmacie où les patriotes cubains, les *mambises,* décidèrent, en janvier 1869, d'incendier la ville pour ne pas la laisser intacte aux mains des Espagnols. Ils s'en étaient emparés trois mois plus tôt et y avaient installé le siège du gouvernement provisoire.

Mais la province de Granma, que traverse au Nord le rio Cauto, la plus longue rivière de Cuba (370 km), sur les rives de laquelle mourut José Martí, doit son nom à l'épopée révolutionnaire de Fidel Castro et de ses compagnons. Car ce fut sur le yacht *Granma* qu'ils débarquèrent, en 1956, au pied de la Sierra Maestra.

Principal massif montagneux de l'archipel cubain, la Sierra Maestra longe la côte méridionale de Cuba sur 240 km, de Cabo Cruz à Guantánamo. Il se divise en deux parties, d'importance inégale : à l'Ouest, la Sierra Turquino ; à l'Est, la Sierra de la Gran Piedra. Sa largeur maximum ne dépasse pas 30 km.

Située pour une grande part dans la province de Granma, la Sierra Maestra est le massif le plus élevé et le plus compact de l'archipel. Certaines cimes, en effet, dépassent 1 700 m de hauteur. Et, au large, une des plus grandes fosses marines du monde atteint 7 243 m de profondeur.

Jusqu'à une date récente, il était extrêmement difficile de pénétrer à l'intérieur de la Sierra Maestra. Il fallait emprunter des chemins de terre battue au Nord du massif montagneux. Mais une route relie désormais Santiago à Manzanillo, sur le golfe de Guacanayabo, en longeant le littoral. Les lieux sont sauvages et escarpés. Sinueuse, la route traverse des torrents qui sont la plupart du temps à sec, avant de grimper sur des pentes semi-désertiques. Des roches sombres et découpées s'enfoncent dans les flots. Parfois, au milieu des galets noir ou bleu foncé, fréquentés par des échassiers aux ailes blanches, apparaissent des plages insolites. Les habitants ne s'y baignent pas : les requins sont voraces. Parfois aussi, dans les creux de la montagne, il y a un marécage, une lagune où somnolent les caïmans. Crabes et tortues non plus ne sont pas rares. Çà et là se dressent quelques palmiers, des cocotiers, mais surtout des cactus, des manguiers et des plantes épineuses. Les arbres sont chétifs et les cultures inexistantes. De loin en loin, des chèvres, des mules, des vaches animent le paysage.

La route passe au pied du pic Turquino dont la cime de 1 974 m, la plus haute de l'archipel, disparaît souvent dans les nuages. Accrochée au flanc de la montagne, à l'entrée du village d'El Uvero (province de Santiago), une guérite blanche : celle d'un poste de police, occupé par les guérilleros de Fidel Castro — *los barbudos* — en mai 1957. A l'époque, l'armée avait dû faire venir des renforts par la mer pour tenter d'écraser les rebelles. Aujourd'hui, chaque hameau de la côte, chaque village possède son système de vigilance. Fusil en bandoulière, jumelles autour du cou, des hommes à cheval montent la garde.

La société de consommation européenne semble bien loin. Des camionnettes, recouvertes d'une bâche en toile, trimbalent sur des chemins rocailleux des brochettes de voyageurs. Ceux-ci s'accrochent tant bien que mal aux banquettes en bois. Aux premières heures de la matinée, des nuées d'écoliers en uniforme dévalent les ravins pour attraper la *guagua*, l'autobus poussiéreux qui longe la côte. Avant la Révolution, il n'y avait ni écoles ni dispensaires dans la région.

C'est à la pointe extrême de la péninsule, dans une zone marécageuse, dénommée Playa de las Coloradas, que Fidel Castro et ses 81 compagnons, parmi lesquels Raúl Castro, Camilo Cienfuegos, Ernesto *Che* Guevara et Juan Almeida, débarquèrent le 2 décembre 1956. Ils étaient partis six jours auparavant de la côte mexicaine. Surpris par la tempête, leur yacht, *Granma,* fit naufrage à quelques centaines de mètres de la côte et ils durent rejoindre la terre ferme à la nage. Privés de munitions et d'une partie de leur équipement, ils furent rapidement repérés par les troupes gouvernementales. Le premier affrontement armé fut sanglant.

Suivi d'une poignée de survivants, Fidel Castro réussit à se replier à l'intérieur de la Sierra Maestra. Quelques mois plus tard, il remportait sa première victoire à El Plata, un petit village de la côte. Soutenus par les paysans, les rebelles multiplièrent les coups de main contre les commissariats de police et les casernes de l'armée. Ils étaient déjà quelques centaines lorsque Batista décida, en avril 1958, de lancer dix mille hommes à l'assaut de la Sierra Maestra. Après 70 jours de combats, les *barbudos* réussirent à être maîtres du terrain et à créer le premier *Territorio Libre de América*. Ils avaient un poste émetteur, Radio Rebelde. *« Ce territoire est devenu le symbole de notre Révolution »*, déclarera Fidel Castro.

Déjà, au cours de l'Histoire, la Sierra Maestra avait été le théâtre de violents engagements entre les patriotes cubains et l'armée espagnole. Avant de tomber sous les balles ennemies à San Lorenzo, en février

1874, Carlos Manuel de Céspedes prononça ces paroles célèbres : « *Nous ne sommes plus que douze. C'est encore suffisant pour faire l'Indépendance de Cuba.* » Six ans auparavant, dans son domaine de La Demajagua, au Sud de Manzanillo, il avait sonné les cloches à toute volée pour annoncer la libération de ses esclaves et appelé ses compatriotes à prendre les armes contre les Espagnols. Avocat comme Fidel Castro, originaire lui aussi d'Oriente, la région la plus à l'Est de Cuba, que regroupe aujourd'hui quatre provinces (Granma, Santiago, Holguín et Guantánamo), il échoua dans son entreprise.

Chef de l'insurrection qui donna lieu à la guerre de Dix Ans, Carlos Manuel de Céspedes est pour les Cubains le Père de la Patrie ; et la Sierra Maestra, le berceau de la Révolution.

Excursions

Baire. La grotte de Jibara, dans les alentours de la ville, est l'une des plus profondes d'Amérique latine.

Bayamo. Capitale de la province de Granma, Bayamo fut fondée en 1513. Elle mérite d'être visitée. Voir la maison natale de Carlos Manuel de Céspedes dans laquelle on a aménagé un musée. Voir également le couvent de Santo Domingo, l'église paroissiale de San Salvador de Bayamo (XVIIIe siècle) et la pharmacie où commença, en janvier 1869, l'incendie déclenché par les partisans de l'Indépendance pour stopper l'avance des troupes espagnoles.

Dos Rios. Monument à la mémoire de José Martí, tombé le 19 mai 1895 à la bataille de Dos Rios.

El Cobre. Mine de cuivre du XVIe siècle. Lieu de pèlerinage catholique.

El Plata. Première victoire de Fidel Castro et de ses compagnons contre Batista en janvier 1957.

Playa de las Coloradas. Débarquement de Fidel Castro et de ses compagnons le 2 décembre 1956.

San Lorenzo. Localité où Carlos Manuel de Céspedes succomba les armes à la main, en 1874, face aux troupes espagnoles.

Santiago de Cuba

« *Muy noble y muy leal.* » La très noble et très loyale ville de Santiago, fondée au début du XVIe siècle, tremplin des armées espagnoles qui se lancèrent à la conquête du continent américain, garde le charme de son passé colonial. C'est la capitale de la province.

Tous les soirs, sur la petite place du centre, bordée de vieilles demeures — **Parque Céspedes** — filles et garçons se croisent à pas lents en formant des cercles concentriques. Etrange ballet. Assis sur les bancs du jardin public, des vieux devisent tandis que des myriades d'oiseaux, attirés par la douceur des lieux, gazouillent sans interruption dans les arbres. A la terrasse de l'hôtel Casa Grande, des Cubains de passages se balancent mollement sur des fauteuils à bascule. Paisible paysage des tropiques.

Sur un des côté de la place, la cathédrale. Bâtie en 1522, soit huit ans à peine après la fondation de Santiago, elle fut plusieurs fois détruite au cours de son histoire : attaques de pirates, incendies, tremblements de terre. Restaurée en 1932, elle reste ouverte aux fidèles, le culte étant libre à Cuba.

A quelques mètres, la Casa de Diego Velázquez, bâtie en 1516. C'est la plus ancienne maison de l'Amérique Ibérique. Il s'agit plutôt d'une demeure seigneuriale. Les piliers qui supportent la toiture sont en bois précieux. Agés de plus de quatre siècles, ils ont la couleur et la consistance du fer. Une ouverture béante, taillée dans le mur, laisse apparaître le four où les *conquistadores* espagnols faisaient fondre l'or. Restaurée, voilà quelques années, par le gouvernement de Fidel Castro, la **Casa Granda** abrite aujourd'hui tous les styles du mobilier cubain, un des plus remarquables de l'époque coloniale du Nouveau Monde.

Avec son élégante façade néo-classique, enfin, l'Hôtel de Ville — **Ayuntamiento** — occupe le quatrième côté de la place Parque Céspedes.

Tout près commencent les rues étroites, ornées de balcons en fer forgé et de vérandas, qui montent et redescendent dans une succession de couleurs pâles. On se croirait en Galice. Magasins, échoppes, bistrots, enseignes lumineuses. Toute en escalier, la rue du Padre Pico, la plus pittoresque de Santiago, retentit des rires et des cris des enfants. Par-delà les cheminées et les fils électriques, on aperçoit le port où s'entassent pétroliers et cargos soviétiques.

Capitale de Cuba pendant la première moitié du XVIᵉ siècle, gouvernée par Hernán Cortes, le conquérant du Mexique, principal port de débarquement des esclaves importés d'Afrique, ville natale de vingt-neuf généraux des guerres de l'Indépendance, berceau de la Révolution enfin, Santiago est un haut lieu de l'histoire. Au cimetière Santa Ifigenia reposent les héros de Cuba : José Martí, l'apôtre de l'Indépendance ; Carlos Manuel Céspedes, le père de la Patrie ; Frank Pais, le héros de Moncada, fusillé par la police du dictateur Batista, et bien d'autres.

Jusqu'à la Révolution, le dépôt des ordures municipales s'y trouvait   *169* à proximité. Aujourd'hui, à l'entrée du cimetière, les fossoyeurs placardent leurs diplômes obtenus dans le cadre de l'*émulation du Devoir et de l'Honneur*. Timbres bleus pour le *Devoir*, timbres rouges pour l'*Honneur*. Cette micro-émulation est, comme dans toute entreprise cubaine, accordée chaque mois aux travailleurs les plus consciencieux. Celle du *Devoir* est réservée à ceux qui ne se sont pas absentés une seule fois pendant le mois. Celle de l'*Honneur* récompense les salariés qui, en dehors de leurs heures de travail, consacrent leurs loisirs aux études.

Dans les cas exceptionnels, les héros du Travail et de la Révolution reçoivent des décorations. Les femmes ont la leur depuis 1974 : l'*Ordre Ana Betancourt de Mora*. Morte en exil à Madrid, au début du siècle, elle fut la première femme en Amérique latine à demander, dans une assemblée populaire, la libération des esclaves et celle de la femme. Ramenées d'Espagne, en septembre 1968, ses cendres sont vénérées comme celles d'une héroïne nationale. Martí écrivit à son sujet : *« C'était une femme, la fille de Juan de Mena. Cette courageuse Paraguayenne qui, en apprenant que son compatriote Antequera allait être pendu, changea ses vêtements de veuve pour une robe de gala car, dit-elle, il faut célébrer le jour où un homme d'honneur meurt glorieusement pour sa patrie. »*

Deuxième ville de Cuba, après La Havane, Santiago compte aujourd'hui 350 000 habitants. Ils ne sont pas tous d'ascendance espagnole ou africaine. Chassés d'Haïti, à la fin du XVIIIᵉ siècle, beaucoup de Français s'y établirent et développèrent la culture du café dans les alentours. On peut voir encore les ruines de leurs plantations, notamment dans la région de la Gran Piedra. En 1838, le Dr François Antonmarchi, médecin de Napoléon Iᵉʳ à Sainte-Hélène, y finit ses jours. De cette présence française, il reste une danse populaire, la *tumba francesa,* inspirée du menuet, que l'on pratique surtout dans les villages de l'intérieur et pendant les fêtes du Carnaval.

Etonnante atmosphère que celle du carnaval de Santiago, l'un des plus trépidants des Caraïbes. Tous les ans, après la récolte de la canne à sucre, la population prépare dans la fièvre cette grande fête populaire qui se déroule au mois de juillet. Dans toute la province, chacun choisit le costume dont il se parera, le masque derrière lequel il cachera son visage, le personnage, enfin, qu'il tentera de créer. Il faut parfois beaucoup d'imagination pour faire de quelques vieilles fripes un costume original. Mais, à Cuba, les coutumes populaires restent vivaces. Des semaines durant les orchestres répètent les rythmes et les danses choisis par tel ou tel quartier de Santiago, tel ou tel village de l'intérieur, telle ou telle fabrique pour défiler au centre de la ville le jour venu.

Avant l'ouverture officielle du Carnaval, l'ensemble de la

population choisit les plus belles filles de la province. Des élections ont lieu dans les usines, dans les écoles, dans les bureaux, dans les plantations de canne à sucre. Les candidates sont ensuite rassemblées à Santiago pour l'élection de la Reine du Carnaval (*Estrella*) et de ses six demoiselles d'honneur (*Luceros*). Malgré le puritanisme anti-bourgeois des premières années de la Révolution, les Cubains n'ont jamais renoncé à ce concours de la beauté féminine.

Le soir de l'ouverture du Carnaval, les élues défilent dans les rues de Santiago sur un char fleuri. La ville frémit alors au son des orchestres, les chants montent de la foule. Dans un délire de lumières et de pétards, la reine et ses demoiselles d'honneur reçoivent l'hommage de leurs sujets. Dans le cortège suivent d'autres chars, plus ou moins bien décorés : ceux des syndicats, des organisations populaires, des quartiers de la ville. Tandis que les orchestres jouent des rythmes endiablés, des jeunes filles dansent au milieu des fleurs et des personnages allégoriques installés sur les véhicules.

Pendant la durée du Carnaval, les habitants de Santiago s'organisent en groupes, les *comparsas*. Tous les membres du groupe s'habillent de préférence de la même manière et cherchent bien souvent à évoquer des personnages de l'histoire cubaine. Ensemble ils dansent *rumbas* et *congas* et se lancent dans de folles farandoles, les *farolas,* auxquelles se joignent les badauds tout au long du parcours.

Le carnaval de Santiago, enfin, est une excellente occasion de connaître la cuisine locale. Installés sur la voie publique, des marchands ambulants offrent aux passants le *pan con lechón,* sandwich de porc à la cubaine, et du *chilindrón de chivo,* genre de fricassée de viande. Le tout est arrosé de bière car, comme tous les peuples d'Amérique latine, les Cubains sont d'énormes consomma-teurs de cette boisson.

Frondeurs et hospitaliers, les *Santiagueros* sont en quelque sorte les méridionaux de Cuba. Coquettes et gracieuses — les plus belles du pays dit-on — les femmes sont d'un abord peu farouche. Elles prennent plaisir à entendre sur leur passage des mots galants, les *piropos,* auxquels elles répondent par un sourire complice. Lors-qu'elles décident de se marier, c'est au Palacio de los Matrimonios, le Palais des Mariages, à proximité de la place Parque Céspedes, que la cérémonie civile est célébrée. Toutes les villes cubaines ont le leur depuis la Révolution.

Santiago est aussi le berceau des troubadours. C'est à la fin du XVIIIe siècle qu'avec l'arrivée des premiers immigrants français d'Haïti la ballade fit son apparition dans la région. A l'époque la guitare était le privilège des nantis. Pourtant, un certain Monsieur Alexis, ébéniste et musicien, se prit d'amitié pour un Noir, Juan José Rebollar, ébéniste lui aussi, et lui enseigna à jouer de la guitare. Très vite Rebollar transmit ses connaissances musicales aux apprentis noirs et mulâtres de son atelier. Ils eurent tellement de succès que la guitare envahit tous les quartiers de la ville. A chaque coin de rue il y eut pratiquement un troubadour qui passait des heures à improviser des ballades. Le plus grand de tous fut sans doute, dans la seconde moitié du XIXe siècle et jusqu'à la veille de la Révolution, le mulâtre José (*Pepe*) Sanchez. Il eut de nombreux élèves, parmi lesquels Sindo Garay et de célèbres interprètes de la musique cubaine contemporaine.

Aucune autre ville de Cuba n'a jamais eu autant de troubadours que Santiago. Aujourd'hui encore, dans des lieux aussi populaires que *El Tivoli, Los Hoyos, Marimon, Mejiquito* et la *Casa de la Trova,* un public fidèle écoute tous les soirs des ballades que des chanteurs égrènent au son de leurs guitares.

Aux visiteurs qui veulent s'évader, Santiago offre de multiples possibilités. Les alentours y sont particulièrement beaux. Bâtie au fond d'une baie, la ville est reliée à la mer par un étroit goulet que domine une forteresse espagnole, le **Castillo del Morro.** Construite en 1643, elle fut détruite par les Anglais dix-neuf ans plus tard, puis reconstruite à la fin du XVIIe siècle. La forteresse servit à repousser les attaques des corsaires qui infestaient la mer des Caraïbes. Plus tard, de nombreux combattants cubains de la deuxième guerre d'Indépendance y furent emprisonnés.

A l'Est de la ville, une petite route de campagne serpente sur une vingtaine de kilomètres, au milieu des vallons. Vingt-six monuments érigés sur les bas-côtés évoquent l'attaque de la caserne Moncada, le 26 juillet 1953. Chacun porte le nom de deux ou trois combattants, morts au cours de la bataille ou assassinés ultérieurement dans les geôles du dictateur Fulgencio Batista. Quelques pierres blanches, un palmier, des fleurs, une phrase gravée à chaque arrêt d'autocar, des cubes maintenus en équilibre ; comme un chemin de croix, confondu avec le paysage tropical, ces jalons de l'histoire conduisent vers une maison de campagne isolée, la **Granja Siboney.** Rien de pompeux ni de phrases historiques à l'emporte-pièce à l'entrée du jardin, ombragé par des manguiers.

Le site de Siboney est resté tel qu'il était lorsque Fidel Castro y arriva discrètement, en compagnie de 117 camarades, dans la soirée du 25 juillet pour préparer l'attaque de la caserne Moncada, à Santiago. *« Il ne faut pas déformer l'histoire »,* dira-t-il en refusant de faire construire une œuvre monumentale dans le style du réalisme socialiste. Quelques mois plus tôt, en 1953, Staline était mort au Kremlin.

Profitant des fêtes du Carnaval, qui leur permettront de passer inaperçus au milieu de la foule, les conspirateurs quittent la Granja

Siboney vers 5 h du matin, le 26 juillet 1953. Leur objectif immédiat : prendre d'assaut la caserne Moncada, seconde place forte de Cuba, et porter ainsi un coup décisif à la dictature. Malgré des opérations de diversion, en plusieurs points de la ville, la tentative échoue face au millier de soldats retranchés dans la caserne. Après trois heures de combats, le bilan est lourd : huit morts chez les assaillants et des dizaines de blessés. Plus de soixante prisonniers seront atrocement torturés avant de mourir. Fidel Castro est de ceux qui s'en échapperont. Il avait à peine 26 ans.

Quelqu'un lui ayant demandé, au début des années 70, pourquoi il avait porté si longtemps deux montres-bracelets, Fidel Castro répondit : *« Lorsque nous avons attaqué la caserne Moncada, ma montre s'est arrêtée. C'est incroyable, n'est-ce pas, qu'une montre s'arrête au moment de mettre à exécution une opération de cette envergure ! Eh bien, la mienne, au dernier moment, s'est arrêtée... Plus tard, lors du débarquement du « Granma », puis dans la Sierra Maestra, j'ai toujours porté deux montres. Aujourd'hui je pense que je n'en ai plus besoin. »*

Premier soulèvement armé contre la dictature de Batista, le 26 juillet 1953 a été le point de départ de la Révolution cubaine. Cette date reste une des plus glorieuses de l'histoire de l'Amérique latine. Le rouge et le noir du drapeau des insurgés est devenu le symbole des révolutionnaires qui refusent de s'inféoder à un parti classique.

Depuis le triomphe de la Révolution, la caserne Moncada est une école. Murs à créneaux et blockhaus à meurtrières ont été en grande partie démolis pour ouvrir la grande cour au monde extérieur. Sur la gauche du bâtiment, qui porte encore des traces de balles, une porte latérale donne accès aux salles du musée. Celui-ci a été entièrement réaménagé en 1973. Croquis, schémas, plans, photos et circuit de télévision en plusieurs langues retracent l'épopée de Fidel Castro et de ses compagnons. Dominant toutes les autres, une photo de Guevara : elle illustre la dernière lettre que le révolutionnaire légendaire, d'origine argentine, écrivit avant de quitter Cuba pour les maquis de Bolivie. Dans une salle adjacente, un portrait gigantesque de Lénine.

Le musée de Moncada offre, par le choix des documents et de la disposition des sujets, une vision rajeunie de la Révolution cubaine telle qu'elle est enseignée dans les écoles. Affiché sur un mur, enfin, le texte du message envoyé par Fidel Castro à Celia Sanchez, sa compagne inséparable, alors qu'il combattait dans la Sierra Maestra. Il est daté du 5 juin 1958. *« En voyant les fusées qu'ils ont lancées sur la maison de Marcio, je me suis juré que les Américains paieront très cher ce qu'ils sont en train de faire. Lorsque cette guerre sera terminée, une guerre beaucoup plus longue et beaucoup plus importante commencera pour moi : celle que je mènerai contre eux. Je sens que ce sera ma véritable destinée. »*

Le combattants de Moncada constituent désormais la *Génération du Centenaire,* en souvenir du centième anniversaire de la naissance de Marti.

« Rebelle hier, Hospitalière aujourd'hui, Héroïque toujours ! » Ecrite sur un immense panneau, la phrase est placée à l'entrée de la ville. Santiago est aujourd'hui en pleine mutation. Dans les quartiers périphériques, de nouveaux logements sont construits, des écoles sont ouvertes, des usines surgissent. A quelques pas de l'ensemble résidentiel José Marti, où sont déjà installés plus de 30 000 habitants dans des bâtiments à cinq étages, à l'épreuve des tremblements de terre — car Santiago connaît occasionnellement ce fléau — il restait encore, en 1975, quelques bidonvilles, les derniers de Cuba. Exemple unique en Amérique latine et dans les Caraïbes. La petite rue qui traversait, au milieu d'un amas de planches vermoulues et de tôles gondolées, ce quartier en pleine transformation avait conservé son nom d'origine : *el Camino de la Isla.* C'était jadis l'endroit le plus mal famé de Santiago, le coupe-gorge où il était hasardeux de s'aventurer la nuit.

Située à l'extrémité orientale de Cuba, Santiago n'a pas encore de liaisons aériennes avec l'extérieur. Mais, site touristique et historique exceptionnel, la ville est reliée plusieurs fois par jour à La Havane, en une heure et demie de vol par des *Iliouchine-18* et des *Yak 40,* de fabrication soviétique. Des *Iliouchine-14,* version soviétique des *DC-3,* assurent des liaisons quotidiennes avec les villes principales de l'intérieur. A l'égal de tous les Latino-américains, les Cubains prennent l'avion comme s'ils prenaient l'autobus, les bras chargés de colis, chemise blanche ou kaki à manches courtes, sans veste ni cravate, le pantalon mal repassé. Vingt minutes de vol ? Qu'importe : l'aéroport est si près du centre urbain, les tarifs sont si avantageux qu'un aller et retour dans la journée présente plus d'avantages qu'un trajet en voiture sur une route mal carrossée.

Il ne faut pas aller à Cuba sans voir Santiago.

Curiosités

Casa de Diego Velázquez. Bâtie en 1516, c'est la plus vieille demeure de l'Amérique latine. On y voit le four où les Espagnols faisaient fondre l'or. Très beau musée de meubles cubains. Est située place centrale, Parque Céspedes.

Cathédrale. Une des toutes premières églises construites par les *conquistadores* espagnols. Mais, détruite à plusieurs reprises, la façade actuelle date de 1932.

Cimetière Santa Ifigenia. Quelques-uns des plus grands héros de l'histoire cubaine y sont enterrés : José Marti, Carlos Manuel de Céspedes, Frank Pais.

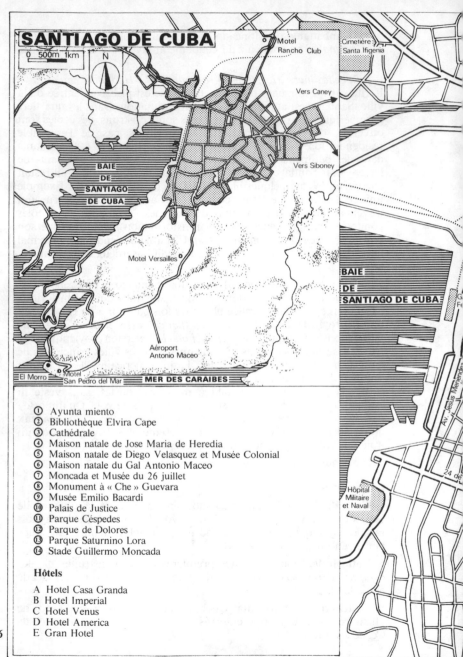

SANTIAGO DE CUBA

0   500m 1km

N

Motel Rancho Club

Cimetière Santa Ifigenia

Vers Caney

Vers Siboney

BAIE DE SANTIAGO DE CUBA

Motel Versailles

Aéroport Antonio Maceo

El Morro

Motel San Pedro del Mar

MER DES CARAIBES

BAIE DE SANTIAGO DE CUBA

Av. Jesús Menéndez

24 de

Hôpital Militaire et Naval

① Ayunta miento
② Bibliothèque Elvira Cape
③ Cathédrale
④ Maison natale de Jose Maria de Heredia
⑤ Maison natale de Diego Velasquez et Musée Colonial
⑥ Maison natale du Gal Antonio Maceo
⑦ Moncada et Musée du 26 juillet
⑧ Monument à « Che » Guevara
⑨ Musée Emilio Bacardi
⑩ Palais de Justice
⑪ Parque Céspedes
⑫ Parque de Dolores
⑬ Parque Saturnino Lora
⑭ Stade Guillermo Moncada

Hôtels

A Hotel Casa Granda
B Hotel Imperial
C Hotel Venus
D Hotel America
E Gran Hotel

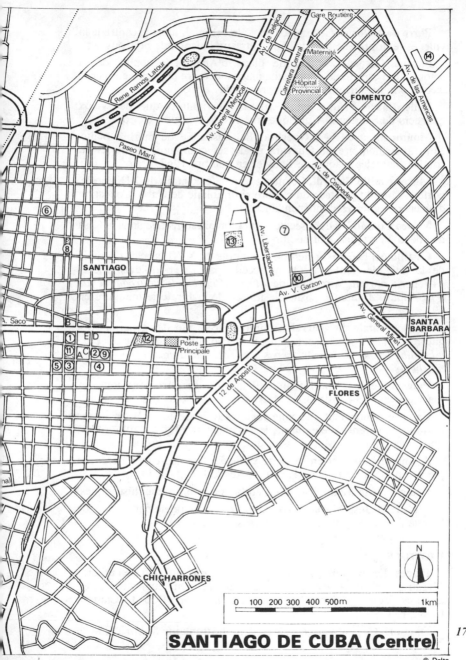

Gare Routière

Av. de Belgica

Maternité

Carretera Central

Hôpital
Provincial

FOMENTO

Av. de las Americas

⑭

René Ramos Latour

Av. General Menocal

Paseo Marti

Av. de Cespedes

⑥

⑬

Av. Libertadores

⑦

SANTIAGO

⑩

Av. V. Garzon

Av. General Minet

A. Saco

SANTA
BARBARA

B

① E D
⑪ A C ② ⑨
⑤ ③ ④

⑫

Poste
Principale

12 de Agosto

FLORES

CHICHARRONES

N

0 100 200 300 400 500m   1km

177

SANTIAGO DE CUBA (Centre)

© Delta

Plaza de Dolores. Cette place de style colonial, dans le centre le la ville, est entourée de grands bâtiments aux balcons de bois ouvragé.

Parque Céspedes. Ancienne place d'Armes . du temps de la colonisation espagnole, cette petite place du centre de Santiago mérite d'être connue, surtout en fin d'après-midi.

Calle Padre Pico. C'est la rue la plus pittoresque des vieux quartiers de Santiago. A quelques mètres de Parque Céspedes.

Monument à « Che » Guevara. Bel ensemble de marbre blanc, élevé à la mémoire de Guevara et de ses compagnons, morts au combat, dans les maquis de Bolivie, en octobre 1967.

Musée Emilio Bacardi. Ce musée, qui date de la fin du XIXe siècle, porte le nom du créateur du célèbre rhum blanc de Cuba. Collection d'objets des guerres d'Indépendance.

Museo Colonial. Ce musée de l'art colonial est installé dans la Casa de Diego Velázquez. Entrée libre.

Castillo del Morro. Forteresse espagnole du XVIIe siècle, à l'entrée de la baie de Santiago. On y accède par un pont-levis. Pièces d'artillerie portant la marque de *« Louis-Charles de Bourbon, comte d'EU, duc d'Aumale ».* Visitez le musée de la Piraterie inauguré en 1978.

Maison natale du général Antonio Maceo. Un des généraux des guerres de l'Indépendance, le général Maceo eut cette phrase célèbre : *« La liberté ne se demande pas : elle se conquiert au fil de la machette. »*

Palacio de los Matrimonios. Palais où se déroulent tous les mariages civils à Santiago.

Caserne Moncada. Ancienne forteresse, que Fidel Castro et ses hommes tentèrent de conquérir, le 26 juillet 1953, c'est aujourd'hui une école publique. Musée historique dans une aile du bâtiment.

Ayuntamiento. Ancien Hôtel de Ville, de style néo-classique, sur la place centrale de Santiago (Parque Céspedes).

Loma de San Juan. Fort et ensemble de monuments historiques.

Maison de José María de Heredia. Le célèbre poète parnassien, de langue française, y vécut le début de son enfance.

Environs

Plages. Les plus fréquentées sont *Mar Verde,* au pied de la Sierra Maestra, et *Playa Siboney,* à 15 km de Santiago. On peut s'y rendre en autobus. Voir également la plage *Caletón Blanco* (km 32 Camino Costa, El Cobre).

Daiquiri. Ce petit village de la côte, à une trentaine de km à l'Est de

Santiago, porte le nom d'un cocktail cubain, fait à base de rhum et de citron vert. La légende veut que les troupes Nord-américaines y débarquèrent, après leur victoire sur l'armée espagnole, à la fin du XIXe siècle.

Sierra Cristal. Raúl Castro, frère cadet de Fidel Castro, y ouvrit le second front d'opérations militaires contre les forces du dictateur Batista, en juillet 1958. Il installa son quartier général dans un hameau, Mayari Arriba, que l'on peut rejoindre par une route goudronnée à partir de Santiago. Trajet : 60 km environ à travers une région montagneuse pittoresque. Musée historique.

La Gran Piedra. Le parc national de la Grande Pierre est à 3 km de Santiago. Très belle excursion au milieu des sapins et des peupliers. Vous êtes dans la Sierra Maestra. La Gran Piedra proprement dite atteint 1 219 m. C'est un énorme rocher de 60 000 t, vestige d'un ancien volcan. Du sommet, on embrasse par temps clair la baie de Santiago, Guantánamo, Haïti et la Jamaïque. Bungalows, restaurant.

Cafetal La Isabelica. Cette plantation de café fut créée, au début du XIXe siècle, par Victor Constantin, colon français originaire d'Haïti. Elle comprenait 13 haciendas et abritait 700 esclaves. *Seferina de Lys,* la dernière esclave de La Isabelica, mourut en 1974, à l'âge de 132 ans. Le bâtiment principal est devenu un musée : meubles, outils divers.

Hôtels

Hôtel Casa Grande. Situé sur la place centrale de Santiago, Parque Céspedes, cet hôtel colonial a énormément de charme même s'il n'est pas des plus modernes. 62 chambres avec salle de bain. Piscine, bar, boutique, restaurant.

Motel las Américas. Av. General Lebreco, à l'angle de l'avenue de las Américas.

Motel Versalles. Alturas de Versalles, Santiago. De construction récente, il a le désavantage d'être situé un peu à l'écart de la ville. Mais il est très confortable. 60 chambres. Restaurant, deux bars, cabaret, piscine, tennis, boutiques, pharmacie, librairie.

Hôtel El Rancho. Km 4, Carretera central, Santiago. Plus intime que l'hôtel Casa Grande, il n'a que 28 chambres.

Motel San Pedro del Mar. Carretera del Morro s/n. A proximité du Castillo del Morro, il domine la baie de Santiago. Très agréable.

Hôtel Imperial. Derrière l'Ayuntamiento, dans le centre de Santiago.

Pour toute information supplémentaire, s'adresser à : *Empresa Santiago de Cuba.* Agrulera 514, à l'angle de Relój et Clarín, Santiago.

Vie nocturne

Casa de la Trova. Bistrot célèbre dans le centre de Santiago, à quelques mètres de l'hôtel Casa Grande, où l'on joue tous les soirs des airs folkloriques. Très fréquenté par les Cubains, l'endroit vaut la peine d'être connu. Prix modérés.

Taberna de Dolores. Taverne populaire.

Motel San Pedro del Mar. Cabaret.

Tumba francesa. A proximité du musée Frank Pais. Danses inspirées du menuet, importées à Cuba, au XVIIIe siècle, par les colons français d'Haïti.

Restaurant 1900. Très beau restaurant de style colonial, à quelques mètres de l'hôtel Casa Grande. Service particulièrement stylé.

Las Américas. Av. Général Lebreco, à l'angle de l'avenue de las Américas.

Guantánamo

Située à l'extrémité orientale de Cuba, la province de Guantánamo a 6 327 km². Elle a donc une superficie égale aux deux tiers de la Corse. Ses côtes longent sur 300 km la mer des Caraïbes. Dans sa partie la plus large, elle n'a que 24 km.

Le nom de cette province est connu dans le monde entier car, depuis le début du siècle, les Etats-Unis y possèdent sur la côte une base aéronavale qui est l'une des plus importantes du continent. C'est, en tout cas, la seule base militaire américaine en territoire communiste.

La province tient son nom de la ville de Guantánamo, la capitale, qui est reliée à Santiago par une route nationale, la 6-N1. Elle a donné son nom à une chanson populaire cubaine extrêmement populaire, *« La Guantanamera »*. Jadis, sur les rives de la baie du même nom, à une trentaine de kilomètres plus au Sud, les Anglais s'y établirent, en 1741, et fondèrent la petite ville de Cumberland. Celle-ci eut une existence éphémère.

Ce fut dans la province de Guantánamo que les *conquistadores* espagnols fondèrent, au début du XVIe siècle, la première ville de Cuba. Ils lui donnèrent le nom de Nuestra Señora de la Asunción de Baracoa. Elle est située à l'embouchure du rio Macaguanigua et, jusqu'à la fin des années soixante, elle resta pratiquement isolée du reste du pays ce qui lui a permis de conserver ses traditions. En souvenir de Hatuey, le premier héros des Indiens d'Amérique, qui lutta courageusement contre les colonisateurs espagnols, un monument a été élevé dans l'un des jardins publics de la ville. Dressé sur un socle, Hatuey brandit une massue au-dessus de sa tête.

Un autre monument rappelle, celui-là, la deuxième guerre pour l'Indépendance de Cuba. Il a été élevé à la gloire du général Antonio Maceo et de ses vingt-deux compagnons qui débarquèrent, le 1er avril 1895, à Duaba, dix jours, par conséquent, avant le débarquement de José Marti et du général Máximo Gomez.

La province de Guantánamo a quatre régions naturelles : la région montagneuse de Sagua-Baracoa, le bassin de Guantánamo, l'extrémité orientale de la Sierra Maestra et la Vallée Centrale. Dans la première, riche en ressources minérales, on peut admirer sur la côte Nord les *tibaracones,* bancs de sable caractéristiques à l'embouchure des rivières et, dans la partie méridionale, le désert de Baitiquiri qui, sans être véritablement désertique, est tout de même la région la plus aride de Cuba. La région qui est comprise entre le massif de Baracoa et la Sierra de la Gran Piedra, c'est-à-dire le bassin de Guantánamo, est assez plate et favorable à l'agriculture. Les deux autres régions de la province sont montagneuses ou ondulées.

La commune de Guantánamo, une des dix communes de la province, compte près de 190 000 habitants et vient donc juste avant Baracoa, qui en a 69 000, et El Salvador, qui en a 53 000. Au total ce sont près d'un demi-million d'habitants qui vivent dans la province dont 59,18 % selon le dernier recensement, sont à la campagne. Détail intéressant : le taux de croissance démographique y a diminué à partir de la fin des années soixante pour tomber à 1,7 %, en 1976, soit un des taux les plus faibles du Tiers Monde.

La moitié de toutes les terres qui appartiennent à l'Etat dans cette province sont agricoles. Et l'autre moitié est couverte de forêts. Seuls, 5 % sont arides ou vierges. Au début de la colonisation espagnole, la région connaissait des activités aurifères puis, au fil des ans, le café, le cacao, la banane, la noix de coco et la canne à sucre ont constitué les principales activités agricoles de la province. La production du sucre de canne ne commença, en fait, qu'au début du XIXe siècle. Dans la seconde moitié du XIXe siècle, en 1862, 44 % des 19 000 habitants de la province étaient constitués d'esclaves noirs.

Aujourd'hui les ressources essentielles de la province de Guantánamo proviennent de la canne à sucre et du café, mais les pâturages y occupent déjà une place importante ainsi que les fruits. La production de poisson y est encore réduite. En 1970 elle n'a guère dépassé 170 t.

Longtemps oubliée, la province de Guantánamo compte aujourd'hui quelques voies ferrées réservées aux plantations de canne à sucre et à la population locale, deux aéroports (Guantánamo et Baracoa), trois théâtres, un musée, dix cinémas, dix galeries de peinture et un médecin pour 10 000 habitants (moyenne nationale : 1 pour mille).

Les paysans cubains disent d'un lieu inaccessible qu'il est situé « *là où le diable a poussé trois cris ».* C'est le cas de la base américaine de Guantánamo, au Sud de la province. Journalistes et touristes étrangers n'ont aucune possibilité de s'en approcher. La presse cubaine a elle-même évité, depuis des années, de publier des reportages sur cette enclave de 116,5 km² — la seule base militaire occidentale en territoire communiste.

Fidel Castro a toujours affirmé que la base aéronavale de Guantánamo figurerait parmi les cinq points de discussion obligatoires, lorsque les Etats-Unis, une fois le blocus levé, engageraient des négociations avec Cuba sur l'avenir des relations entre les deux pays. Tout étranger qui entend connaître la réalité cubaine ne peut ignorer l'existence de cette enclave.

Administrativement la baie de Guantánamo, sur la côte méridionale de Cuba, dépend de la municipalité du même nom. C'est une des meilleures rades du monde par ses dimensions et sa profondeur. Enclavée dans une dépression que protègent les contreforts de la Sierra Maestra, elle est à l'abri des intempéries. Pour y parvenir de l'intérieur, deux routes étroites partent de la localité cubaine de Guantánamo et descendent vers le Sud en traversant une région de palmiers et de canne à sucre. Comme des pinces d'écrevisse, elles enserrent la baie de Guantánamo, la seconde de Cuba par sa superficie. A chaque extrémité, deux sites portuaires : Caimanera, d'un côté, rendue mondialement célèbre par une chanson ; Boquerón, de l'autre, où accostent les cargos soviétiques. Au-delà, commence la base américaine : elle est située de part et d'autre de l'entrée de la baie. Une double enceinte de barbelés l'entoure sur 27 km. Entre les *marines* et les garde-frontières de l'armée cubaine, un *no man's land* d'une centaine de mètres.

La base possède deux aérodromes, un port mécanisé, un dock flottant, des chantiers de radoub, des entrepôts de vivres et de carburant, des réserves de munitions suffisantes pour soutenir un siège de sept jours. Au total, ce sont 1 400 immeubles d'habitation et bâtiments militaires ou administratifs qui ont été construits, pour accueillir en permanence deux mille militaires américains et leurs familles. A ce nombre il faut ajouter un millier de Jamaïcains qui sont engagés chaque année pour quatre mois. Et quelques dizaines de travailleurs cubains, qui traversent tous les jours la frontière pour retourner chez eux.

Tout a été prévu pour rendre la vie de la population américaine agréable : chaîne de télévision, terrains de sports, golf, hippodrome, salles de spectacle, cinémas, yacht club, journal, temples protestants et églises catholiques. Les Américains de la base peuvent même effectuer des croisières dans les Caraïbes sans avoir à passer par les Etats-Unis. Inutile de préciser qu'ils ne peuvent se rendre en territoire cubain.

Pour comprendre l'existence de la base de Guantánamo, il est nécessaire de remonter dans le temps. Dès la signature du traité de Paris, en décembre 1898, Cuba, qui avait été jusqu'alors une colonie espagnole, fut placée sous l'administration provisoire d'un gouverneur militaire américain, assisté d'une force d'occupation. Celle-ci restera dans l'île jusqu'en mai 1902.

Lorsque les Etats-Unis, comme ils s'y étaient engagés, reconnurent officiellement l'Indépendance de la République de Cuba, ils firent inclure dans la Constitution un amendement, l'amendement Platt, du nom d'un sénateur américain. En vertu des dispositions énoncées dans les huit articles de cet amendement, dont l'un stipulait que *« le gouvernement de Cuba accorde aux Etats-Unis le droit d'intervenir pour garantir l'Indépendance et pour aider tout gouvernement à protéger les vies, la propriété et la liberté individuelle »*, ils obtenaient la jouissance pleine et entière d'une base située à Guantánamo ainsi que d'autres privilèges divers. Grâce à cet amendement, les fusiliers marins, stationnés dans cette enclave, pénétrèrent, en 1917, dans le territoire cubain et poursuivirent leur avance jusqu'à Camagüey pour soutenir le général Mario Menocal. Ce dernier avait été frauduleusement élu président de la République.

La base de Guantánamo n'était pas la seule base que les Etats-Unis espéraient avoir à Cuba. L'article 7 de l'amendement Platt précisait, en effet, que la République de Cuba devrait leur céder, à titre perpétuel, des bases de ravitaillement en charbon ainsi qu'une autre base navale, à Cienfuegos, et son territoire adjacent sur un rayon de 10 miles, c'est-à-dire 16 km. Les Etats-Unis durent renoncer à ces dernières clauses de l'amendement Platt lors de la signature du traité permanent avec la République de Cuba, en mai 1903.

« Je suis un homme sincère du pays où poussent les palmiers... » Ce sont les paroles d'une célèbre mélodie cubaine, *« Guajira Guantanamera »*, créée par Joseito Fernandez, dans les années trente. Depuis la Révolution, elle a pris une signification nouvelle.

Distances   Guantánamo

Base américaine	27 km
Baracoa	158 km
Bayamo	211 km
Gibara	315 km
Manzanillo	276 km
Mayari	370 km
Playas Coloradas	342 km
Santiago	86 km
Siboney	105 km
La Havane	1 051 km

183

Excursions

Baracoa. Première ville fondée par les Espagnols en l'an 1512. Voir les forts de Matachín et La Punta, construits au XIXe siècle. La ville est blottie au fond d'une baie. Distance de Guantánamo : 158 km.

Los cayos

Même avant la Révolution, le tourisme était peu développé à Cuba. Il restait le privilège de quelques millionnaires qui recherchaient les plaisirs de La Havane ou les plages de Varadero sur la côte septentrionale. Rares étaient ceux qui avaient la curiosité de mieux connaître l'archipel. Des régions entières furent ainsi délaissées et ce n'est que depuis quelques années que des hôtels et des restaurants sont construits pour favoriser le tourisme populaire. Les Cubains seront évidemment les premiers à en bénéficier. Mais les voyageurs en provenance de l'étranger pourront bientôt s'écarter des circuits traditionnels pour découvrir de véritables paradis terrestres, fréquentés jusqu'ici par des pêcheurs ou des paysans.

Tel est le cas des 1 600 îles, îlots et rochers qui font partie de l'archipel cubain. On leur donne le nom générique de *cayos.* Ensemble ils forment une superficie de 3 715 km², soit davantage que le Luxembourg, Monaco, Andorre, Saint-Marin et le Liechtenstein réunis. Autour de ces récifs, la mer n'a bien souvent que 10 à 20 m de profondeur, ce qui permet aux passagers des lignes aériennes, qui ont la chance de les survoler, de s'émerveiller de la couleur et de la limpidité des flots et d'admirer les bancs de coraux. Mais, en dehors de leur aspect touristique, ces *cayos* ont aussi un intérêt économique. Ce sont d'abord d'exceptionnels viviers de poissons, éponges et crustacés de toutes sortes. Ensuite, depuis des siècles, leurs arbres ont servi comme charbon végétal. Enfin, les minerais et le pétrole off-shore constituent vraisemblablement une de leurs futures richesses.

Tous ces *cayos,* autour de l'île de Cuba proprement dite, se regroupent en quatre archipels dont certains portent des noms poétiques.

L'un des plus importants est l'**archipel des Canarreos** au Sud de la province de La Havane qui comprend 350 îles et îlots. Lorsque le célèbre explorateur allemand Alexandre de Humboldt naviga dans cet archipel, en 1801, il écrivit son émerveillement : « *Rien ne ressemble* *de nos jours à la solitude de ces lieux qui, du temps de Colomb, étaient habités par les indigènes.* » De fait, peuplés bien avant l'arrivée des *conquistadores* espagnols, les Canarreos furent laissés à l'abandon au cours des siècles. Et aujourd'hui seuls des pêcheurs, pour la plupart originaires des îles Caïman, entre Cuba et la Jamaïque, les *caimaneros*, y passent une partie de l'année.

Immense tapis submergé qui dessine des arabesques, au Nord de l'île de la Jeunesse, l'archipel des Canarreos s'étend de la pointe de Camagatos, dans la province de Pinar del Rio, jusqu'aux abords de la baie des Coçhons. Ce sont des monticules de sable entourés de coráux, où affleurent le palétuvier et le *guano,* ces excréments d'oiseaux et débris de poissons que l'on retrouve dans toutes les Caraïbes.

L'île la plus belle de l'archipel est sans doute le Cayo Avalos. Long de 2 km, il a une plage de sable blanc sur laquelle se penchent des palmiers. Sur la côte occidentale, la côte est légèrement escarpée. L'explorateur Cyrus Wicker, à la recherche de trésors, dans la mer des Caraïbes, découvrit au cours de l'un de ses voyages un vieux canon datant de l'époque où les pirates étaient maîtres de l'archipel.

L'île la plus longue est le Cayo Campo, de 7 km. A quelques kilomètres au large, on a constaté des profondeurs marines de 1 800 m. Le Cayo Matias a une plage de 5 km que fréquentent les pêcheurs cubains sur leurs fragiles embarcations. Seul, pour l'instant, le Cayo Largo (180 km²) a de modestes installations touristiques.

L'archipel des Canarreos est le paradis des langoustes : 2 000 t capturées annuellement, sinon davantage, soit 1/5ᵉ de la production cubaine. Les pêcheurs emploient maintenant des techniques modernes. Seuls, 10 % des crustacés sont encore capturés selon des méthodes artisanales : on place, à l'extrémité d'une perche, un filet et une caisse dont le fond est en verre.

L'archipel des Canarreos est également le second producteur d'éponges de Cuba : 3 000 t par an dont la moitié est exportée. Enfin, tous les ans, on y ramasse plus de 60 t de crabes et 40 t de tortues de mer. Installé à Batabanó, d'où partent les ferry-boats vers l'île de la Jeunesse, le centre de pêche de l'archipel dispose d'une importante flottille de pêche. Mais c'est à Nueva Gerona que les langoustes sont mises en conserve.

L'archipel le moins important est situé entre une barrière de récifs de corail, de 200 km de long, et la côte septentrionale de la province de Pinar del Rio. C'est l'**archipel des Colorados.** Les *cayos* les plus importants et les plus connus sont Arenas, Inés de Soto, Jutías, Diego Rapada et Buenavista auxquels il faut ajouter le banc de sable de Sancho Pardo. Poissons et crustacés y sont très nombreux. Les pêcheurs qui les capturent sont pour la plupart installés dans les

185

Distances par la route

ARTEMISA	BARACOA	BAYAMO	CAMAGÜEY	CÁRDENAS	CIEGO DE ÁVILA	CIENFUEGOS	COLÓN	FLORIDA	GIBARA	GUANTÁNAMO	HOLGUÍN	LA HAVANE
1270												
905	369											
632	638	273										
220	1074	709	436									
524	746	381	108	328								
358	982	617	344	162	236							
251	1019	653	380	55	272	107						
593	677	312	39	397	69	305	341					
865	473	104	233	669	341	577	613	272				
1112	158	211	480	1214	588	828	865	519	315			
834	440	71	202	638	310	546	582	241	39	261		
61	1209	844	571	159	463	297	190	532	804	1051	773	
970	434	65	338	774	446	682	718	377	169	276	136	909
165	1105	740	467	55	359	193	86	428	700	947	669	104
922	528	159	290	363	398	634	670	329	128	370	89	861
528	784	419	146	332	38	198	234	107	379	588	348	467
115	1385	1020	747	335	639	403	366	708	980	1231	949	176
398	948	507	234	288	126	110	147	195	467	790	436	337
1036	527	131	404	840	512	748	784	443	241	342	202	975
808	502	133	176	612	284	520	556	215	170	344	131	747
76	1346	981	708	296	600	364	327	668	941	1192	910	137
362	912	543	270	166	162	74	111	231	503	750	472	301
1030	244	125	398	834	506	742	779	437	229	86	195	969
1049	263	144	417	853	525	761	798	456	248	105	214	988
34	1304	939	666	254	558	322	285	627	899	1150	868	95
439	1045	676	403	330	295	86	244	364	636	887	605	379
244	1102	733	546	24	352	186	165	421	779	944	748	183
758	518	149	124	646	232	468	504	163	118	360	79	695

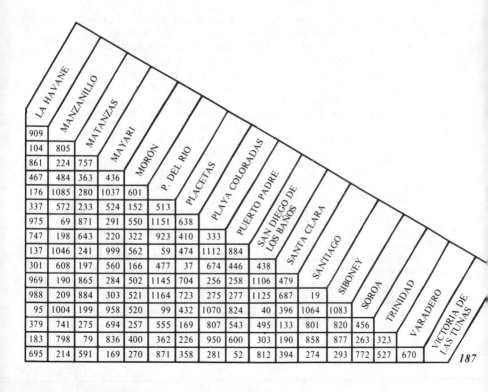

	LA HAVANE	MANZANILLO	MATANZAS	MAYARI	MORÓN	P. DEL RIO	PLACETAS	PLAYA COLORADAS	PUERTO PADRE	SAN DIEGO DE LOS BAÑOS	SANTA CLARA	SANTIAGO	SIBONEY	SOROA	TRINIDAD	VARADERO
MANZANILLO	909															
MATANZAS	104	805														
MAYARI	861	224	757													
MORÓN	467	484	363	436												
P. DEL RIO	176	1085	280	1037	601											
PLACETAS	337	572	233	524	152	513										
PLAYA COLORADAS	975	69	871	291	550	1151	638									
PUERTO PADRE	747	198	643	220	322	923	410	333								
SAN DIEGO DE LOS BAÑOS	137	1046	241	999	562	59	474	1112	884							
SANTA CLARA	301	608	197	560	166	477	37	674	446	438						
SANTIAGO	969	190	865	284	502	1145	704	256	258	1106	479					
SIBONEY	988	209	884	303	521	1164	723	275	277	1125	687	19				
SOROA	95	1004	199	958	520	99	432	1070	824	40	396	1064	1083			
TRINIDAD	379	741	275	694	257	555	169	807	543	495	133	801	820	456		
VARADERO	183	798	79	836	400	362	226	950	600	303	190	858	877	263	323	
VICTORIA DE LAS TUNAS	695	214	591	169	270	871	358	281	52	812	394	274	293	772	527	670

villages de Puerto Esperanza, au Nord de Viñales, et Los Arroyos, plus à l'Ouest. La navigation est particulièrement difficile, au milieu de ces *cayos,* à cause des bancs de corail ; et les embarcations, très légères, doivent se frayer un chemin dans les chenaux, les *pasas.* Ceux-ci sont au nombre de treize.

L'**archipel des Jardins du Roi,** situé entre 10 et 20 km au large de la province de Camagüey, porte aussi le nom de Sabanas-Camagüey. Il comprend près de 400 îles et îlots qui s'étendent sur une longueur de 400 km entre la péninsule d'Hicacos et la pointe de Práctica. L'archipel est bordé au Nord par une barrière de coraux de la même longueur, la seconde du monde, après la Grande Barrière sur la côte Est de l'Australie. Au fur et à mesure que l'on va d'Ouest en Est, les *cayos* augmentent progressivement de taille pour devenir de véritables îles à la hauteur de Morón. Citons pour mémoire les îles de Turiguano, Cayo Romano, Coco, Guajaba et Norte, qui forment comme un cordon continu parallèle à la côte, et dont les baies de Buenavista et Jigüey sont les plus fréquentées.

Cayo Romano (926 km²) a une centaine de kilomètres de long et huit de large en moyenne. C'est la troisième île de Cuba, après l'île de Cuba proprement dite et l'île des Pins. Plate et couverte de prairies, rocailleuses, elle a trois petites élévations : Silla de Cayo Romano, Ají et Juan Baez. Quelques forêts, des pâturages, des marais salants et une multitude de puits d'eau douce. C'est le paradis des zébus et des chevaux sauvages. Jusqu'au XVIIIe siècle, Cayo Romano servit de refuge aux pirates français et anglais. D'après la légende, un bateau y fit naufrage, à la fin du XIXe siècle, et des animaux s'en échappèrent. Ils sont aujourd'hui plusieurs centaines à gambader en liberté. Une cinquantaine d'habitants y vivent en permanence. Le hameau *(caserio)* le plus important est Versalles (écrit en espagnol), sur la côte Est.

Ajoutons, enfin, qu'il y a au large de Caibarién une guirlande de petites îles, connues pour la beauté de leurs plages de sable fin. Les plus célèbres sont les *cayos* Santa María et Los Ensenachos.

Le quatrième archipel, situé dans le golfe de Guacanayabo, porte le nom d'**archipel des Jardins de la Reine.** Christophe Colomb le baptisa ainsi en hommage à Isabelle la Catholique, reine d'Espagne. Les îles les plus intéressantes sont Gran Bajo de Buena Esperanza, Laberinto de las Doce Leguas, Caballones, Grande et Cinco Balas.

Ces chapelets d'îles et d'îlots autour de Cuba forment un ensemble naturel dont la beauté est quasiment vierge.

Annexes | Lexique

A

A bientôt	*hasta pronto*
A demain	*hasta mañana*
Accident	*accidente*
Accompagner	*acompañar*
Achats	*compras*
Acheter	*comprar*
Addition	*cuenta*
Adresse	*dirección*
Aéroport	*aeropuerto*
Aimable	*amable*
Aimer	*amar, querer*
Air conditionné	*aire acondicionado*
Alcool	*aguardiente*
Aller	*ir*
Ambassade	*embajada*
Ami, amie	*amigo, amiga*
Amusant	*divertido*
Ananas	*piña*
A pied	*a pié, caminando*
Appel téléphonique	*llamada telefónica*
Apprendre	*aprender*
Après	*después*
Argent	*dinero*
Arrêt d'autobus	*parada*
Arrière	*atrás*
Arrivée	*llegada*
Ascenseur	*ascensor*
Asseyez-vous	*siéntese*
Assez	*basta*
Assiette	*plato*
Attendre	*esperar*
Attention	*cuidado*
Aujourd'hui	*hoy*
Au revoir	*hasta luego*
Aussi	*también*
Autobus	*guagua*
Autoroute	*autopista*
Avant	*antes*
Avec	*con*
Avenue	*avenida*
Avion	*avión*

Avis	opinión
Avoir	haber, tener
j'ai	tengo
vous avez	tiene
ils ont	tienen
il y a	hay

B

Bagages	equipaje
Baignoire	baño
Banlieue	afueras
Banque	banco
Bar	bar
Bas (subst.)	medias
Bas (adj.)	bajo
Bateau	barco
Beau, belle	hermoso, hermosa
Beaucoup	mucho
Beurre	mantequilla
Bicyclette	bicicleta
Bien	bien
Bière	cerveza
Bijouterie	joyería
Billet	entrada (théâtre)
	pasaje (avion)
Blanc	blanco
Bleu	azul
Blond, blonde	rubio, rubia
Boire	beber
Boisson	bebida
Boîte	caja
Bon, bonne	bueno, buena
Bouche	boca
Boucherie	carnicería
Boulangerie	panadería
Bouteille	botella
Boutique	tienda
Bruit	ruido
Bureau	oficina

C

Café	café
Campagne	campo
Carrefour	cruce
Carte postale	postal
Carte routière	plano

Casser
Ce ; cet ; cette ; ces
Cendrier
Certainement
Chaleur
Chambre
Chance
Change
Changer
Chapeau
Chaud
Chaussures
Chemin ·
Chemin de fer
Chemise
Cher, chère
Chercher
Cheval
Cheveux
Chez
Chut !
Cigare
Cigarette
Cinéma
Clair, claire
Clef
Cœur
Coiffeur
Combien ?
Comprendre
Connaître
Conseil
Consulat
Côte
Coton
Coucher
Couleur
Couper
Court
Cousin, cousine
Couteau
Coutume
Crayon
Cuiller
Cuit

romper
este ; esta ; estos ; estas
cenicero
seguro
calor
habitación
suerte
cambio
cambiar
sombrero
caliente
zapatos
camino
ferrocarril
camisa
caro, cara
buscar, procurar
caballo
cabello
en casa de.
silencio !
tabaco
cigarro
cine
claro, clara
llave
corazón
peluquero
cuanto ?
comprender, entender
conocer
consejo
consulado
costa
algodón
acostar
color
cortar
corto
primo, prima
cuchillo
costumbre
lápiz
cuchara
cocido

D

Dimanche	domingo
Dites	diga
Donnez-moi	déme
Dormir	dormir
Douane	aduana
Douche	ducha
Douleur	dolor
Drap	sábana
Droit (tout droit)	derecho
Droite	derecha

E

Eau	água
Echanger	cambiar
Echecs	ajedrez
Ecoutez	oiga
Ecrire	escribir
Emporter	llevar
Enchanté, e	encantado, a
Encore	más
Enfant	niño, niña
Enfin	por fin
Ennuyeux	aburrido
Ensemble	juntos, juntas
Entendu !	de acuerdo
Entrée	entrada
Enveloppe	sobre
Environ, à peu près	más o menos
Envoyer	enviar, mandar
Escalier	escalera
Espérer	esperar
Essence	gasolina
Etage	piso, planta
Eté	verano
Etre	ser, estar
Je suis	soy, estoy
Nous sommes	somos
Ils sont	son
Je serai	estaré
Etudiant	estudiante
Exact	exacto, justo
Excursion	excursión

F

Fâché	*aburrido, enfadado*
Facile	*fácil*
Faim	*hambre*
Faire	*hacer*
Famille	*familia*
Fatigué, e	*cansado, a*
Faux, fausse	*falso, falsa*
Femme	*mujer*
Fenêtre	*ventana*
Fermé	*cerrado*
Feu	*fuego*
Fiancé, e	*novio, a*
Fille (jeune)	*muchacha*
Film	*película*
Fils, fille	*hijo, hija*
Fleur	*flor*
Foie	*hígado*
Formalités	*trámites*
Fort, e	*fuerte*
Fourchette	*tenedor*
Fragile	*frágil*
Frais, fraîche	*fresco, fresca*
Français, e	*francés, francesa*
France	*Francia*
Frère	*hermano*
Froid	*frío*
Fromage	*queso*
Fruit	*fruta*
Fumer	*fumar*

G

Garage	*garaje*
Gare	*estación*
Gauche	*izquierda*
Gens	*gente*
Glace (à manger)	*helado*
Grand, e	*grande*
Gratuit	*gratuito*
Gros, grosse	*gordo, gorda*
Guérir	*curar*
Guide	*guía*

H

Habiller
Habitant
Habiter
  J'habite
Habitude
Haut, e
Hauteur
Heure
Heureusement !
Heureux, heureuse
Hier
Hiver
Homme
Honte
Hôpital

I

Ici
Idée
Ile
Important
Impossible
Inclus
Incroyable
Indiquer
Instant (à l')
Interdit
Intéressant
International
Interprète
Inutile
Invitation

J

Jamais
Jambe
Jambon
Jardin
Jeu
Jeune
Joie
Joli, e
Jour
Journal
Jus (de fruit)

vestir
habitante
vivir
  vivo
costumbre
alto, a
altura
hora
menos mal !
feliz
ayer
invierno
hombre
verguenza
hospital

aquí, acá
idea
isla
importante
imposible
incluido
increíble
indicar, informar
ahora mismo
prohibido
interesante
internacional
intérprete
inútil
invitación

jamás, nunca
pierna
jamón
jardín
juego
joven
alegría
bonito, a
día
periódico
zumo

K

| Kilo | kilo |
| Kilomètre | kilómetro |

L

Là	allí, ahí
Lait	leche
Lampe	lámpara
Langue	lengua
Large	ancho, a
Laver	lavar
Légumes	legumbres
Lent, e	lento, a
Lentement	despacio
Lettre	carta
Lever	levantar
Librairie	librería
Libre	libre
Ligne	línea
Lire	leer
Lit	cama
Litre	litro
Livre	libro
Long, longue	largo, larga
Longtemps	mucho tiempo
Lourd, e	pesado, a
Lumière	luz

M

Machine	máquina
Madame	señora
Mademoiselle	señorita
Magasin	almacén, tienda
Mai	mayo
Maillot de bain	traje de baño
Main	mano
Maintenant	ahora
Maison	casa
Malade	enfermo
Malheureusement	desgraciadamente
Manger	comer
Marché .	mercado
Marcher	andar, caminar
Mardi	martes

Mari	*marido*
Mariés	*casados*
Matelas	*colchón*
Matin	*mañana*
Médecin	*médico*
Meilleur	*mejor*
Menu	*menú*
Mer	*mar*
Merci	*gracias*
Mercredi	*miércoles*
Mère	*madre, mamá*
Mètre	*metro*
Mettre	*poner, colocar*
Midi	*mediodía*
Militaire	*militar*
Mille	*mil*
Minuit	*medianoche*
Miroir	*espejo*
Moins	*menos*
Mois	*mes*
Moment	*momento*
Monde	*mundo*
Monsieur	*señor*
Monter	*subir*
Montre	*reloj*
Montrer	*mostrar*
Morceau	*pedazo*
Mot	*palabra*
Mouchoir	*pañuelo*
Mouillé	*mojado*
Moutarde	*mostaza*
Mouton	*cordero*
Musée	*museo*

N

Nager	*nadar*
Nature	*naturaleza*
Né, e	*nacido, a*
Nécessaire	*necesario, a*
Nettoyer	*limpiar*
Neuf, neuve	*nuevo, nueva*
Neveu	*sobrino*
Noël	*Navidad*
Noir, e	*negro, a*

Nom
Nombre
Nord
Normal, e
Note (addition)
Nouveau, nouvelle
Nouvelles
Nuage
Nuit
Numéro

O

Obtenir
Occupé, e
Océan
Odeur
Œil, yeux
Œuf
Ongles
Or (de l'or)
Orange
Oreiller
Où ?
Oublier
Oui
Ouvert, e
Ouvrir

P

Pain
Pâle
Papier
Parapluie
Parc
Parce que...
Pardessus
Pardon !
Parfois
Parfum
Parler
Partager
Partir
Partout
Passager

1ombre, apellido	
1úmero	
1orte	
1ormal	
1uenta	
1uevo, nueva	
1oticias	
1ube	
1oche	
1úmero	
1btener, conseguir	
1cupado, a	
1ceano	
1lor	
1jo, ojos	
1uevo	
1ñas	
1ro	
1aranja	
1lmohada	
1onde ?	
1lvidar	
1	
1bierto, a	
1brir	
1án	
1álido, a	
1apel	
1araguas	
1arque	
1orque	
1brigo	
1erdón !	
1 veces	
1erfume	
1ablar	
1ividir	
1alir, partir	
1n todas partes	
1asajero	

Payé	*pagado*
Payer	*pagar*
Pays	*país*
Paysage	*paisaje*
Pêche	*melocotón*
Peigne	*peine*
Pendant	*durante*
Penser	*pensar*
Je pense que	*creo que*
Perdre	*perder*
J'ai perdu	*perdi*
Père	*padre, papá*
Permettre	*permitir*
Permis	*permitido, autorizado*
Personne ne...	*nadie...*
Peser	*pesar*
Petit, e	*pequeño, a*
Peu	*poco*
Peur	*miedo*
Peut-être	*quizá, a lo mejor*
Pharmacie	*farmacia*
Piéton	*peatón*
Piqûre (moustique)	*picadura*
Pire	*peor*
Plafond	*techo*
Plage	*playa*
Plaie	*herida*
Plaire	*gustar*
Plaisanterie	*broma*
Plan	*plano*
Plat (restaurant)	*plato*
Plein, e	*lleno, a*
Pluie	*lluvia*
Plus	*más*
Plusieurs	*varios, varias*
Poche	*bolsillo*
Poire	*pera*
Poisson (aliment)	*pescado*
Poisson (dans l'eau)	*pez*
Poivre	*pimienta*
Poli, e	*educado, a*
Pomme	*manzana*
Pommes de terre	*patatas*
Pont	*puente*
Porc	*cerdo*
Port	*puerto*

Porte	*puerta*
Portefeuille	*cartera*
Portemanteau	*perchero*
Porter	*llevar*
Poser une question	*hacer una pregunta*
Poste (bureau)	*correos*
Poulet	*pollo*
Pourquoi ?	*por qué ?*
Puis-je ?	*puedo ?*
Préférer	*preferir*
Premier, ère	*primero, a*
Prendre	*tomar*
Prénom	*nombre*
Près	*cerca*
Presque	*casi*
Pressé (je suis)	*prisa (tengo)*
Prêt	*listo*
Printemps	*primavera*
Prise (de courant)	*enchufe*
Prix	*precio*
Prochain, e	*próximo, a*
Profession	*profesión*
Projet	*proyecto*
Prolonger	*prorrogar, prolongar*
Promenade	*paseo*
Promesse	*promesa*
Propre	*limpio, a*

Q

Quand	*cuando*
Quartier	*barrio*
Quelquefois	*a veces*
Question	*pregunta*
Queue (faire la)	*cola (hacer)*
Quitter	*dejar*
Quoi ?	*que ?*

R

Rafraîchir (cheveux)	*cortar poco*
Raisin	*uva*
Rapide	*rápido, a*
Rappeler	*recordar*
Raser (se)	*afeitarse*
Rasoir	*máquina de afeitar*

Recevoir
Recommandée (lettre
Reçu (un)
Réduction
Regardez !
Remettre
Remplir
Rencontrer
Rendez-vous
Rendre
Renseignement
Repas
Repasser
Répondre
Reposer (se)
Réservation
Rester
Retard
Réveiller (se)
Revenir
   Je reviens
   Je reviendrai
Revoir (au)
Rez-de-chaussée
Rhume
Rien
Robe
Roman
Rôti
Rouge
Route
Rue

S

Sac à main
Salade
Salle de bains
Sans
Savoir
   Vous savez
Savon
Second, e
Sel
Semaine
Serviette de table

ecibir	
ertificada (carta)	
ecibo (un)	
escuento	
ñire !	
ntregar	
lenar	
ncontrar	
ita	
evolver	
nformación	
omida	
lanchar	
ontestar	
escansar	
eserva	
uedarse	
etraso	
espertar	
olver	
vuelvo	
volveré	
asta luego, adiós	
lanta baja	
esfriado	
ada	
estido	
ovela	
sado	
ojo, a	
arretera	
alle	
olso	
nsalada	
uarto de baño	
in	
aber	
sabe	
abón	
egundo, a	
al	
emana	
ervilleta	

Serviette de toilette	*toalla*
Seul, e	*solo, a*
Signature	*firma*
Silence	*silencio*
Simple	*sencillo, a*
Ski	*esquí*
Sœur	*hermana*
Soif	*sed*
Soir	*noche*
Sommeil	*sueño*
Sortie	*salida*
Souvenir (un)	*recuerdo (un)*
Souvent	*a menudo, muchas veces*
Spectacle	*espectáculo*
Sport	*deporte*
Station (gare)	*estación*
Station (taxi, bus)	*parada*
Sucre	*azúcar*
Sud	*sur*
Suffire	*bastar*
Ça suffit	*basta*
Suivez...	*siga...*
Sûr, e	*seguro, a*
Surprise	*sorpresa*
Surtout	*sobre todo*
Sympathique	*simpático*

T

Tabac	*tabaco, fumo*
Table	*mesa*
Tableau (peinture)	*cuadro*
Tailleur	*sastre*
Tard	*tarde*
Tasse	*taza*
Téléphoner	*llamar por teléfono*
Temps	*tiempo*
Thé	*té*
Ticket	*billete*
Timbre	*sello*
Toilettes	*aseo, servicios*
Tôt	*temprano*
Toujours	*siempre*
Tourner	*doblar*
Train	*tren*
Travail	*trabajo*

Très	*muy, mucho*
Trop	*demasiado*
Trouver	*encontrar*

V

Vacances	*vacaciones*
Valise	*valija, maleta*
Veau (viande)	*ternera*
Vent	*viento*
Verre	*vaso*
Vert	*verde*
Veste	*chaqueta*
Vêtement	*ropa*
Vouloir	*querer*
Je veux	*quiero*
Nous voulons	*queremos*
Viande	*carne*
Ville	*ciudad*
Vin	*vino*
Vinaigre	*vinagre*
Visage	*cara, rostro*
Vitesse	*velocidad*
Voir	*ver*
Nous verrons	*veremos*
Voiture	*coche*
Vol (avion)	*vuelo*
Vue	*vista*

W

Wagon	*vagón*

Y

Yeux	*ojos*

Z

Zéro	*cero*

Bibliographie sommaire

En français

La Révolution cubaine, de Claude Julien, Julliard, Paris, 1961.
Cuba, socialisme et développement, de René Dumont, Seuil, Paris, 1964.
Moncada, premier combat de Fidel Castro, de Robert Merle, Laffont, Paris, 1965.
Cuba : le livre des douze, de Carlos Franqui, Gallimard, Paris, 1965.
La lutte tricontinentale, d'Albert-Paul Lentin, Maspero, Paris, 1966.
L'agriculture socialiste à Cuba, de Michel Gutelman, Maspero, Paris, 1967.
Les guérilleros au pouvoir, de K.S. Karol, Laffont, Paris, 1970.
Fidel Castro au Chili, présenté par Roland Labarre, Editions sociales, Paris, 1972.
Cuba socialiste de A à Z, d'André Carrel et Georges Fournial, Editions sociales, Paris, 1975.
Sept ans à Cuba, de Pierre Golendorf, Belfond, Paris, 1976.
A Cuba, de Victor Franco, Hachette, Paris, 1978.

En espagnol

Profil de Cuba, ministère des Affaires étrangères, La Havane, 1964.
El socialismo y el hombre en Cuba, d'Ernesto Guevara, Ediciones Revolucion, La Havane, 1965.
Persona non grata, de Yorge Edwards, Barral editores, Barcelone, 1973.
En el camino de la independencia, de Ramiro Guerra, Ciencias Sociales, La Havane, 1974.
De la maravillosa historia de nuestra patria, de Renée Méndez Capote, Gente Nueva, La Havane, 1976.
Los sobrinos del Tio Sam, de Carlos Rivero Collado, Ciencias Sociales, La Havane, 1976.

En italien

L'ottobre cubano, de Saverio Tutino, Giulio Einaudi editore, Turin, 1968.

En anglais

A history of Cuba and its relations with the United States, de Philip S. Foner, International Publishers, New York, 1963.
Cuba, the Economic and Social Revolution, de Dudley Seers, Andrés Bianchi, Richard Jolly et Max Nolff, Chapell Hill, North Caroline, 1964.
Cuba or the pursuit of freedom, de Hugh Thomas, Eyre and Spottis Woode, Londres, 1971.

Index

Crédit photographique : *Luc Chessex, 12, 25, 45, 68, 124-125, 129, 153, 160-161, 171 ; Mayito, 59, 84-85, 88.*

Table des matières

Plan cartographique

Notes de voyage

Delta : les voyages passionnément

PARIS
54, rue des Ecoles, 75005
Tél. 634-21-17

BORDEAUX
45, cours Pasteur, 33000
Tél. (56) 91-71-07

GRENOBLE
7, rue Génissieu (proche rue Thiers), 38000
Tél. (76) 87-78-74

LILLE
43 bis, rue de la Monnaie (Vieux Lille),
59000
Tél. (20) 51-82-28 - 31-04-71

LYON
5, rue Alphonse Fochier
(proche Bellecourt), 69002
Tél. (7) 838-00-14

MARSEILLE
44, rue Breteuil, 13006
Tél. (91) 37-74-93

MONTPELLIER
2, rue de la Barralerie, 34000
Tél. (67) 60-60-22

NANCY
25, rue de Metz, 54000
Tél. (83) 35-31-07

NICE
3, rue François-Ier, 06000
Tél. (93) 82-11-75

ROUEN
12 bis, rue de l'École, 76000
Tél. (35) 98-75-51

STRASBOURG
24, rue Thomann, 67000
Tél. (88) 32-89-65

TOULOUSE
16, place St-Georges, 31000
Tél. (61) 21-95-53 - 21-07-39

*Et **400** agences agréées Delta à travers la France*

Achevé d'imprimer le 30 avril 1982
sur les presses de l'Imprimerie Clerc à Saint-Amand (Cher),
brochage par la S.P.B.R. à Chevilly-Larue (94)

N° d'édition : 1623 - Dépôt légal : juin 1982 - Imprimeur n° 2581
Imprimé en France.